Au-delà de la vallée des Épines

LA CONTRÉE D'ÉLYON   TOME 2

Au-delà de la vallée des Épines

PATRICK CARMAN

TEXTE FRANÇAIS DE LOUISE BINETTE

Éditions SCHOLASTIC

J'aimerais ajouter à la liste de ceux et celles que j'ai remerciés dans *Le secret des Collines interdites*, les personnes suivantes : Charisse Meloto, pour son énergie inépuisable et son esprit d'initiative; Jennifer Pasenan, Rachel Coun et Katy Coyle, dont l'enthousiasme et l'ardeur au travail m'ont incité à me demander comment j'avais bien pu accomplir quoi que ce soit avant de faire leur connaissance; Barbara Marcus et Jean Feiwel, pour m'avoir accueilli chaleureusement dans un endroit qui m'était inconnu; Remy Wilcox, pour son œil critique et son appui indéfectible; et Jeremy Gonzalez, qui a tout risqué pour moi.

Catalogage avant publication de
Bibliothèque et Archives Canada

Carman, Patrick
Au-delà de la vallée des Épines / Patrick Carman;
texte français de Louise Binette.

(Contrée d'Élyon; 2)

Traduction de : Beyond the Valley of Thorns.

Pour les 9-12 ans.
ISBN 0-439-94086-9

I. Binette, Louise II. Titre. III. Collection : Carman, Patrick Contrée d'Élyon; 2.

PZ23.C2195Au 2006   j813'.6   C2006-904267-5

Édition publiée par les Éditions Scholastic,
604, rue King Ouest, Toronto (Ontario) M5V 1E1.

5 4 3 2 1   Imprimé au Canada   06 07 08 09

Pour Sierra

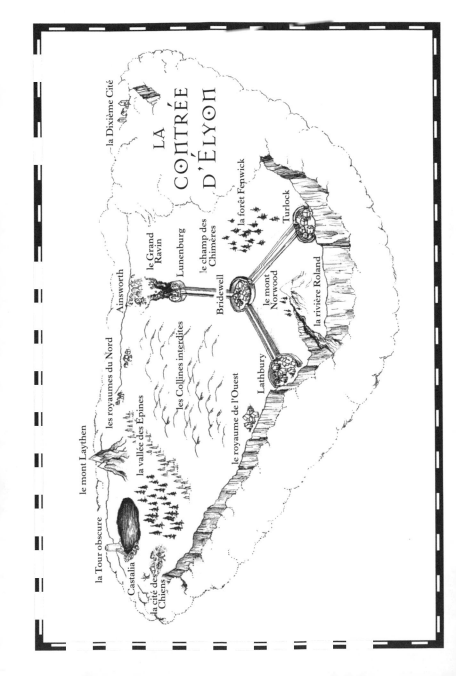

Lorsque le soir tombe et que les ombres amorcent leur descente sur Bridewell, je suis toujours troublé par les mêmes pensées effrayantes. Le mal envoie ses ombres ramener tous les hommes à lui, car c'est dans les ombres que le mal joue. Et qu'advient-il de l'homme qui reste trop longtemps dans les ombres, aux prises avec de sinistres pensées?
Le mal le surprendra sûrement.

EXTRAIT DU JOURNAL DE THOMAS WARVOLD

Être surpris, s'interroger, c'est commencer à comprendre.

La révolte des masses
JOSÉ ORTEGA Y GASSET

I

MON ARRÎVÉE
À BRÎDEWELL

J'avais quitté Lathbury depuis quelques heures déjà. Je voyageais avec mon père, et il me laissait conduire la voiture sur la route vers Bridewell. Le trajet n'aurait pas pu être plus différent de celui que j'avais fait sur cette même route il y avait un an à peine, avant que les murs qui la bordaient soient démolis. Il faisait toujours aussi chaud, mais je pouvais voir dans toutes les directions : les Collines interdites à ma gauche, le fond de la vallée et le mont Norwood à ma droite, la forêt Fenwick formant une masse verte au loin. Promenant mon regard autour de moi et humant l'air chargé du parfum des fleurs, je ne pus m'empêcher de rêver aux aventures qui surviendraient peut-être dans les régions reculées de la contrée d'Élyon.

En conduisant sur la route poussiéreuse, je gardais l'œil ouvert pour essayer d'apercevoir des animaux que j'aurais pu reconnaître, ou encore des buses au-dessus de nos têtes; mais les bêtes avaient dû se cacher en entendant le grincement des roues de notre voiture.

— Tu veux bien me rappeler les règles encore une fois? demandai-je à mon père.

Après tous les événements de l'été précédent, il se

montrait plus protecteur que jamais et je voulais m'assurer que je connaissais les règles… que j'allais probablement enfreindre une fois arrivée à Bridewell.

— Ah, oui, les règles, répondit-il tout en taillant un bâton avec son couteau. D'abord et avant tout, tu ne dois absolument pas quitter les limites de Bridewell, à moins d'être accompagnée d'un adulte, et même alors, je veux savoir exactement où tu vas et pourquoi. Il y a amplement de quoi t'occuper dans la cité sans que tu aies besoin de fureter aux alentours sans surveillance. Et pas de promenades secrètes dans Renny Lodge pour écouter des conversations que tu ne devrais pas entendre. De plus, tu te joindras à moi tous les soirs pour le souper. Il est temps que je commence à te préparer à diriger. Quelques années encore et tes visites à Bridewell seront davantage axées sur le travail que sur les loisirs.

Je pouvais sentir mon enfance me quitter un peu plus à chacune de ses déclarations, plus particulièrement la dernière concernant mon avenir à la tête de notre cité. Je songeai avec nostalgie à l'époque où Warvold me racontait des histoires et où j'étais partie dans les montagnes en compagnie de Yipes et de Murphy, en quête d'aventures. J'aurais voulu que mon père ne soit pas aussi important, et que moi, je sois une fille inconnue allant de ville en ville, libre de parcourir la contrée d'Élyon à sa guise.

— Excitant, fis-je avec un enthousiasme un peu trop feint.

Mon père me regarda comme si ma réaction n'était pas celle qu'il avait espérée. Nous nous retranchâmes dans le silence, lui songeant sûrement à la façon dont il s'y prendrait pour garder un œil sur moi tout en effectuant son travail au cours de l'été, et moi rêvant des aventures qui m'attendaient dans des régions lointaines.

Nous échangeâmes à peine quelques mots au cours de la demi-heure qui suivit, puis les murs de Bridewell apparurent au loin sur la route. C'étaient les seuls murs encore debout; ils semblaient surgis de nulle part, comme un arbre géant amputé de ses branches et réduit à une souche, totalement seul dans le paysage. Ainsi à découvert, je me sentis soudain sans défense, sentiment qui m'habitait par intermittence depuis que les murs avaient été démolis partout ailleurs. Même en lieu sûr, chez moi, le long des imposantes falaises déchiquetées au bord de la mer, je n'arrivais pas à me défaire de cette impression que j'étais en danger, d'une certaine façon, sans les murs dont j'avais été si impatiente de me débarrasser l'été précédent seulement.

Les chevaux hâtèrent le pas en apercevant leur destination. Bientôt, nous arrivâmes devant l'immense porte en bois où Pervis Kotcher était perché, dans sa tour de garde. Malgré la distance, je pouvais distinguer son visage maigre et sa fine moustache. Les yeux toujours sombres et perçants, il observait la scène attentivement lorsque mes chevaux s'arrêtèrent brusquement devant l'entrée de Bridewell.

— Oh, non. Les ennuis s'amènent avec monsieur Daley, dit Pervis à l'homme à côté de lui. Nous ferions mieux de redoubler de vigilance dans les tours jusqu'à ce qu'elle reparte.

Je lui souris d'en bas et un torrent de souvenirs jaillit dans ma tête. J'étais de retour à Bridewell pour un autre été et mon esprit aventureux était de nouveau attisé.

— Contente de te revoir aussi, Pervis, dis-je. Je suis impatiente de jouer au chat et à la souris avec toi, jour après jour, durant tout l'été.

Nous entrâmes dans Bridewell et je consacrai la journée à m'installer à Renny Lodge, à défaire mon sac et à partager les repas avec mon père, Nicolas, Grayson, Silas Hardy et Pervis. Chacun de ces hommes avait joué un rôle important dans ma vie, particulièrement au cours de l'été mouvementé que nous avions connu un an plus tôt à Bridewell. Mon père, toujours à la tête du groupe, assistait déjà à d'interminables réunions. Nicolas avait l'air soigné et séduisant, comme d'habitude, mais il paraissait maintenant plus sérieux et faisait plus que son âge depuis la mort de son père. Que dire de Grayson, pour ceux qui pourraient l'avoir oublié? Il demeurait grassouillet, se faufilant sans arrêt jusqu'à la cuisine, et j'adorais toujours lui rendre visite à la bibliothèque où il travaillait à la restauration des livres. Silas s'acquittait toujours de ses tâches de messager pour mon père et d'autres gens importants, mais il était également devenu une sorte de confident pour mon père, les deux hommes marchant souvent ensemble et discutant à voix basse. Pervis avait renoncé à me suivre partout dans l'espoir de me surprendre à m'enfuir, mais jamais je ne l'avais vu autant aux aguets et prudent à l'extérieur. Il passait la majeure partie de son temps dans les tours de garde et semblait attendre nerveusement quelque chose que je ne pouvais qu'imaginer. Le seul qui manquait était Ganesh. Un an plus tard, c'était encore difficile de croire qu'il nous avait tous dupés.

Le lendemain, une fois passée l'excitation du voyage et des retrouvailles, je pus m'asseoir sur l'appui de la fenêtre de ma chambre et réfléchir. Les murs définissant les limites de Bridewell me paraissaient étrangement réconfortants maintenant. Le fait de les apercevoir de la fenêtre de ma chambre ou de déambuler sur la place publique et de voir les murs tout autour, suscitait chez moi un sentiment très différent d'autrefois. Un an plus tôt, je ne pouvais rien imaginer de mieux que de franchir ces murs; aujourd'hui, je ne pouvais pas m'empêcher d'être rassurée par ces bras solides qui m'entouraient et me gardaient en lieu sûr. Contrairement aux années précédentes, je parvenais à apprécier leur présence, d'autant plus que je ne les avais pas vus depuis un an. Lathbury, ma ville natale, était si différente, à l'air libre, s'allongeant paresseusement au bord des falaises avec de l'espace pour grandir et s'étendre là où elle le voudrait. Je me demandai si j'avais sous-estimé ces murs en les considérant comme quelque chose à craindre plutôt qu'à chérir. Quand on obtient ce qu'on désire, ce n'est jamais tout à fait comme on l'avait imaginé.

Et pourtant, malgré le confort des murs, je m'interrogeais aussi sur ce que je trouverais dans les Collines interdites, plus loin que portait mon regard. Je me demandais ce qui se cachait dans le brouillard au-delà de la forêt Fenwick, s'il s'y cachait quelque chose... L'aventurière en moi rêvait de nouveau d'évasion; seulement, cette fois, j'irais beaucoup plus loin, au-delà de notre royaume, dans les contrées que seul Warvold avait atteintes et explorées.

Mes rêveries m'amenèrent à songer à la bibliothèque et à mon vieux fauteuil, et je descendis de mon perchoir pour m'y rendre. La porte de la bibliothèque était ouverte, et j'y entrai. Je sentis l'odeur familière des livres, entendis le craquement des planchers et vis les rangées d'étagères en zigzag. Aussitôt, j'eus l'impression d'être chez moi à Bridewell, d'y avoir ma place.

— Qui est là? demanda une voix provenant du bureau de la bibliothèque, une petite pièce en désordre où Grayson passait le plus clair de son temps à réparer des livres et à rêver à la confiture de fraises.

— Ce n'est que moi, Grayson, dis-je. Je viens seulement faire un petit tour et feuilleter quelques livres avant qu'il fasse trop chaud.

Comme je l'avais déjà vu au souper, la veille, je pouvais entrer sans cérémonies.

Grayson passa la tête par l'embrasure de la porte et me sourit. Il était toujours l'homme potelé et jovial que j'avais quitté l'été précédent.

— C'est bon de te revoir à la bibliothèque, Alexa. Les choses ont été un tantinet ennuyeuses ici en ton absence. Peut-être que tu pourrais faire bouger un peu tout ça.

Grayson me jeta un regard de biais, réfléchissant à ce qu'il venait de dire, puis ajouta :

8

— Pas trop, quand même. D'accord?

Je hochai la tête et souris à mon tour, puis je m'enfonçai lentement dans les profondeurs de la bibliothèque.

Tandis que je marchais le long des rangées de livres poussiéreuses en suivant les titres du doigt, un sentiment de déjà-vu me gagnait peu à peu. Le plancher émettait des bruits familiers alors que j'empruntais les allées sinueuses menant jusqu'à mon fauteuil dans le coin retiré, entouré d'étagères croulant sous les livres. Je mettais de l'ordre sur les tablettes chemin faisant, profitant de ce long parcours tortueux. Lorsque j'atteignis l'endroit où mon fauteuil se trouvait, je m'immobilisai devant l'appui de fenêtre et contemplai le mur, qui semblait me fixer aussi; la masse de roc terne et indifférente ne portait pour toute trace de vie que le lierre vert qui grimpait sur ses parois et son sommet.

Mes yeux se posèrent sur le fauteuil et je fus tentée de le déplacer et d'essayer d'ouvrir la porte secrète derrière. J'aurais pu descendre furtivement dans les tunnels et m'enfuir dans la nature. J'aurais pu courir en toute liberté. Mais ç'aurait été inutile. Mon père m'avait enlevé la clé argentée et interdit de retourner dans les tunnels. Je m'affalai plutôt dans le fauteuil et regardai les livres sur l'étagère à côté de moi. Je les avais tous déjà vus et j'en avais lu et aimé plusieurs. Cette fois-ci, cependant, je cherchais un ouvrage en particulier; celui que j'avais laissé tomber dans l'ouverture derrière la porte secrète, l'été précédent : *Aventures à la frontière de la Dixième Cité*. Je parcourus toutes les rangées de livres, en tirant certains et en repoussant d'autres afin qu'ils soient parfaitement bien placés sur la tablette. Je trouvai enfin le livre et m'en emparai, puis je m'installai dans le fauteuil et posai mes pieds sur la vieille caisse en bois qui m'avait toujours servi de repose-pieds.

J'ouvris le livre et commençai à lire, la brise de l'autre côté de la fenêtre faisant danser et chanter les feuilles de lierre sur le mur, comme seules les feuilles savent le faire.

Puis j'entendis un bruit différent. Un bruit étrange. On avait frappé doucement, presque imperceptiblement.

Toc, toc, toc.

Je regardai autour de moi, puis me levai, le livre toujours à la main, et me penchai par la fenêtre pour mieux entendre.

Toc, toc, toc.

C'était plus fort cette fois, mais cela ne venait pas de l'extérieur. Je me tournai face aux étagères et demeurai parfaitement immobile.

Toc, toc, toc.

Le livre que je tenais me glissa des mains et tomba sur le sol avec un bruit sec. Je restai sans bouger, sans même respirer.

Toc, toc, toc.

Le bruit provenait de derrière mon fauteuil, de l'autre côté de la porte secrète.

CHAPITRE 2

UN MESSAGE INATTENDU

Je retraversai la bibliothèque, allant et venant dans les allées, guettant le bruit des pas de Grayson pour vérifier s'il était à proximité. Ne trouvant personne, je retournai rapidement à mon fauteuil et commençai à le tirer pour l'éloigner du mur le plus silencieusement possible. Même si j'avais un an de plus, j'étais toujours aussi maigre, et mes petits bras décharnés étaient à peine musclés; je dus utiliser toute ma force pour écarter le fauteuil de la porte secrète. Puis je m'accroupis et prêtai l'oreille. Est-ce que j'avais bien entendu? Je commençai à penser que j'étais tellement en mal d'aventure que j'avais imaginé le bruit. Mais je perçus alors un faible déclic, et la petite porte s'ouvrit lentement dans un grincement de charnières, ne laissant voir que l'obscurité à l'intérieur.

Je restai en arrière, trop effrayée pour y jeter un coup d'œil. Une minuscule tête émergea alors dans la pièce tandis que résonnait une voix aiguë que je connaissais bien.

— Je commençais à me demander si tu allais me laisser en équilibre ici toute la matinée.

C'était Yipes, chancelant sur la vieille échelle qui menait dans l'obscurité; un grand sourire éclairait son visage délicat.

— Yipes! m'écriai-je. Mais qu'est-ce que tu fais ici? Je ne peux pas croire que c'est toi!

Il s'extirpa du tunnel et s'accroupit à côté de moi derrière le fauteuil, puis porta un doigt à ses lèvres.

— Chut. On ne sait jamais qui peut rôder dans la bibliothèque, souffla-t-il.

— Mais pourquoi es-tu passé par les vieux tunnels? demandai-je.

Il grimpa sur le dos du fauteuil, escalada l'une des grandes étagères et disparut sur le dessus. Je pouvais l'entendre sauter d'une tablette à l'autre d'un pas léger et silencieux, à peine audible. Je restai derrière le fauteuil, fixant la tablette par-dessus laquelle il était disparu, me demandant où il était passé et quand il allait revenir.

— Tu peux sortir maintenant, dit Yipes.

Il était assis sur l'appui de fenêtre derrière moi. Sa voix me fit tressaillir.

— Faut-il vraiment que tu me fasses sursauter comme ça? Tu es pire que Murphy avec sa manie de se déplacer furtivement.

— Nous avons un accord, lui et moi, répondit-il. Te faire peur est trop amusant pour qu'on laisse passer une occasion de le faire. Bon, Grayson est parti à la cuisine et la bibliothèque est déserte pour l'instant. Nous pouvons parler en paix.

Je fis le tour du fauteuil et m'assis face à la fenêtre où Yipes était accroupi, prêt à bondir au moindre bruit. Malgré les nombreuses fois où je l'avais rencontré, j'étais toujours renversée de le voir aussi minuscule. Son visage basané était flétri et amical, et il affichait un sourire sous son petit nez pointu qui trahissait sa joie de me retrouver.

— C'est merveilleux de te revoir, mais tu ne devrais pas emprunter les tunnels, dis-je. Ils y envoient des gardes toutes les heures, tu sais, pour s'assurer que personne n'y rôde.

Il y avait déjà très longtemps, Pervis avait pratiqué une ouverture de l'intérieur de la cour, aménagée dans une petite pièce en pierre et menant jusqu'aux tunnels. Il avait passé des jours et des jours à aller de pièce en pièce, vérifiant que personne n'y était caché. Les gardes connaissaient toutes les entrées et sorties, lesquelles étaient désormais bloquées en permanence.

— Je ne comprends pas comment tu as même pu y entrer, poursuivis-je. Je croyais que Pervis avait condamné les tunnels de l'extérieur.

Yipes sourit malicieusement et se pencha vers moi.

— Il existe toujours un moyen pour ceux d'entre nous qui sont assez petits.

Il paraissait fier de lui, et je fus tout à coup très intéressée à en entendre davantage à propos de cette issue secrète et de l'endroit où elle menait.

— Il y quelque chose d'important que je dois te dire, continua Yipes.

Il regarda une dernière fois autour de lui, inclinant la tête d'un côté et de l'autre pour mieux prêter l'oreille.

— Quand tu n'étais qu'une toute petite fille, après la mort de Renny, Warvold est parti en voyage. Il a été absent pendant longtemps et personne ne savait où il était allé. À son retour, il s'est arrêté pour me voir, peu de temps après que j'ai opté pour la vie sauvage. Je ne l'avais jamais vu aussi préoccupé, et il m'a confié quelque chose dont je devais prendre soin.

Yipes ouvrit sa veste et plongea sa petite main à l'intérieur, tâtonnant pour trouver la chose en question. Il en retira une enveloppe très vieille et abîmée, et me la tendit. L'enveloppe était sale et ses coins étaient déchirés; le devant était maculé d'une substance rouge séchée, probablement du vin venant d'une coupe renversée il y a très longtemps. On pouvait y lire les huit mots suivants :

Pour Alexa Daley, un an après mon départ.

Je me déplaçai vers la lumière de la fenêtre, debout à côté de Yipes. C'était une sensation étrange d'avoir entre les mains un message de Warvold. Le seul fait d'entendre son prénom et celui de Renny me faisait frissonner d'excitation. J'éprouvais aussi un autre sentiment. C'était curieux mais, dès que j'entendais le nom de Renny ou de Warvold, j'étais saisie d'une immense nostalgie et souhaitais être de nouveau avec eux.

— Pourquoi ne me l'as-tu pas donnée plus tôt? demandai-je. Il est mort depuis déjà un an.

Yipes se dandinait d'un pied sur l'autre et détourna les yeux avant de me répondre.

— Ça fait un an seulement qu'il est mort, répondit-il. Comme tu peux le voir sur la lettre, il y est écrit d'attendre un an. Je t'assure que ce fut difficile de ne pas te la remettre plus tôt. J'ai passé plusieurs nuits à la tenir devant une bougie pour tenter de déchiffrer ce qui était écrit sur la lettre, mais l'enveloppe était trop épaisse.

Il fit une pause et se gratta les genoux.

— De toute façon, tu l'as maintenant, continua-t-il. Alors tu ferais mieux de l'ouvrir et de voir ce qu'elle dit. J'ai l'impression que le temps est venu d'accomplir quelque chose que Warvold voulait que tu fasses.

Je regardai l'enveloppe que je tenais dans ma main tremblante; un millier de pensées me traversèrent l'esprit à propos de ce qu'elle pouvait contenir. Je la retournai et brisai le sceau de cire avec précaution. À l'intérieur se trouvait un morceau de papier jauni plié au milieu, dont les bords étaient déchiquetés. Il y avait aussi une plus petite enveloppe, adressée à mon père. Je la mis de côté, dépliai la première feuille et commençai à lire à haute voix :

Alexa,

Je connais Yipes depuis déjà longtemps et il était le seul à qui je pouvais confier cette lettre. Il y a bien des choses que tu devrais savoir, mais je t'en dirai très peu pour l'instant. Si je te racontais tout, j'ai bien peur que tu n'aurais pas le courage d'entreprendre ce qui t'attend. Aussi, je te dirai seulement une chose pour que tu te mettes en route.

Il existe une grotte secrète dans les Collines interdites, au-delà de ce qu'on peut apercevoir de Bridewell. Il y a dans cette grotte quelque chose que tu dois récupérer, quelque chose de très important et de très spécial. Cette chose n'est destinée qu'à toi, Alexa, et tu dois la trouver. Je me suis permis

d'inclure une lettre pour ton père. Laisse-la-lui et il
ne cherchera pas à te rattraper. Il s'agit d'un voyage
secret auquel il ne peut pas prendre part. Ton père
est au courant de certaines choses, de certaines
situations, et tu peux être sûre qu'il comprendra
pourquoi tu dois te rendre dans les Collines
interdites.
    Va maintenant. Va!

Warvold

Sous le texte était tracée une carte complexe. Le trajet menait à une entrée dont je ne connaissais pas l'existence, mais sous laquelle deux lignes gribouillées indiquaient clairement l'endroit où je devais me rendre : *Grottes des Collines interdites, chambre secrète, extrémité est.*

Je levai les yeux vers Yipes et, même si j'aurais dû éprouver un sentiment de crainte, je fus envahie d'une joie immense à la perspective de l'aventure qui m'attendait. D'outre-tombe, Warvold me demandait de faire quelque chose d'imprévu et d'effrayant, mais, au fond de moi-même, j'avais l'impression d'avoir anticipé la tournure des événements. Un large sourire se dessina sur mon visage.

— Yipes, c'est incroyable, dis-je. Tu viendras avec moi?

— Je ne voudrais pas manquer ça, répondit-il.

Je pouvais voir qu'il était tout aussi excité que moi à l'idée de ce que nous pourrions trouver dans les Collines interdites.

CHAPITRE 3

LA GROTTE SECRÈTE

Je me risquai à retourner à ma chambre et remplis mon sac de cuir de tout ce dont je pouvais avoir besoin. En regagnant la bibliothèque, je m'arrêtai à la cuisine. C'était le milieu de la matinée et les cuisiniers prenaient une pause dans le fumoir. Je me dirigeai vers le vaste garde-manger et pris toute la viande séchée et les fruits secs que mon sac pouvait contenir.

À la bibliothèque, Grayson était de retour dans son bureau et réparait un ouvrage particulièrement volumineux. Je passai la tête dans l'embrasure de la porte, sachant bien que je ne pouvais pas l'éviter en retournant à mon fauteuil. Il quitta son travail des yeux et les leva vers moi.

— Tu pars en voyage? demanda-t-il en apercevant le sac sur mon épaule.

— Ce ne sont que des livres et un goûter en prévision d'un après-midi de lecture et de flânerie en ville.

— Ah! Quelle merveilleuse idée! Si seulement je pouvais t'accompagner. La réparation de ce livre devrait déjà être terminée car Silas doit rapporter l'ouvrage à Ainsworth ce soir. J'ai bien peur de devoir rester penché sur mon bureau pour un bon moment encore.

Il se remit au travail et remua sur sa chaise, son gros ventre frottant contre le bureau. J'étais soulagée : et s'il avait voulu venir avec moi?

— Bonne lecture, dit-il.

Je me dirigeai vers le fond de la bibliothèque et, lorsque j'atteignis le fauteuil, celui-ci était exactement comme je l'avais laissé : de retour à sa place, devant la porte secrète bien refermée. Yipes était introuvable, et je commençai à penser encore une fois que j'avais tout imaginé.

Je retirai de mon sac la lettre destinée à mon père et la déposai sur le fauteuil. Puis j'entendis de nouveau le bruit.

Toc, toc, toc.

Cette fois, je savais que c'était Yipes qui m'attendait sur l'échelle dans le tunnel. J'entrepris la tâche éreintante de tirer le fauteuil encore une fois. Yipes était là, en équilibre sur l'échelle, se cachant au cas où Grayson serait venu me trouver. Il descendit quelques échelons pour me permettre d'entrer dans le tunnel; l'air frais et terreux était vivifiant sur ma peau. Je jetai un dernier coup d'œil dans la bibliothèque et refermai la porte derrière moi.

Il faisait plus noir que dans mes souvenirs, la lanterne ne jetant qu'une faible lueur dans l'obscurité compacte autour de nous. Je me sentais comme une minuscule luciole, prise au piège et seule dans les profondeurs de la nuit.

— Nous devons être très silencieux, chuchota Yipes. Impossible de savoir si l'un des gardes fait sa ronde dans les tunnels.

J'approuvai d'un signe de tête et nous descendîmes jusqu'au sol en silence. Yipes menait la marche tandis que nous progressions dans le tunnel, la lumière vacillant dans sa toute petite main et jetant des ombres sur les murs. Nous marchâmes assez longtemps, zigzaguant et tournant dans des endroits où je n'étais jamais allée. En arrivant à un virage serré sur la droite, Yipes s'arrêta, se retourna et s'accroupit. Il éteignit la lanterne et nous restâmes assis contre le mur du tunnel, figés.

— Qu'est-ce qu'il y a? murmurai-je.

Je ne distinguais pas Yipes dans le noir, et il ne répondit pas. Il toucha simplement mon épaule, fit remonter sa main le long mon visage et posa ses doigts sur ma bouche. Un instant plus tard, je vis une lumière qui dansait sur le mur au loin et venait vers nous.

Mon instinct me disait de retourner à toute vitesse d'où je venais avant que le garde nous découvre, mais Yipes me retint en me touchant l'épaule, comme pour me dire que nous devions rester parfaitement immobiles. La lumière se rapprocha, jusqu'au moment où elle fut presque au-dessus de nous; j'entendis les pas tout près.

Je luttais contre le désir pressant de me lever et de m'enfuir tandis que Yipes continuait à me maintenir là, contre le mur, en retenant son souffle. Au moment où je m'attendais à voir le garde tourner le coin, la lueur jetée par sa lampe commença à faiblir et ses pas devinrent plus difficiles à distinguer. Bientôt, ce fut de nouveau la noirceur et le silence absolus.

— Où est-il allé? chuchotai-je.

— Un autre tunnel va vers la droite, juste après le coin. J'ai observé les gardes quand ils font leur tournée et ils vont toujours de ce côté; puis ils reviennent sur leurs pas et passent ici. Nous n'avons qu'un instant pour traverser avant que celui-là revienne.

Nous nous levâmes et avançâmes à tâtons le long du mur. Je suivis Yipes au moment de tourner le coin et de passer devant l'ouverture où la lumière s'éloignait dans le tunnel. N'y voyant rien, je trébuchai sur une pierre et laissai échapper un petit cri étouffé tandis que Yipes me remettait d'aplomb et m'entraînait rapidement plus loin.

— Qui est là? cria le garde, dont les pas venaient maintenant dans notre direction.

Yipes me tira vite au ras du sol dans l'obscurité, puis il tourna à gauche.

— Montrez-vous! ordonna le garde.

Mais il passa alors devant l'endroit où nous avions tourné, poursuivant son chemin dans la mauvaise direction. Prudents et silencieux comme des chats, Yipes et moi franchîmes une distance suffisante dans l'autre direction pour que je commence à croire que nous avions semé le garde dans le labyrinthe de tunnels.

— Il s'en est fallu de peu, souffla Yipes au bout d'un moment. Mais nous y sommes presque maintenant. Prends ma main : je connais le chemin, même dans le noir.

Quelques zigzags plus tard, Yipes s'arrêta et lâcha ma main. Je n'aurais pas pu dire où il était, mais un rayon de lumière apparut bientôt près du sol. Yipes avait retiré des planches du mur et, grâce à la lumière provenant de l'ouverture, je pouvais distinguer l'espace mal éclairé autour de moi. Nous étions entrés dans une pièce dont les murs étaient couverts de planches de bois. On aurait dit qu'il s'agissait d'un ancien dortoir pour les détenus qui s'étaient échappés et cachés dans les tunnels avant que les murs soient démolis.

— Entre, dit Yipes. Tu y seras à l'étroit, mais ce n'est pas loin de la surface.

Encore une fois, Yipes me poussa en avant. On aurait dit que c'était la seule direction qu'il connaissait. Il m'avait déjà entraînée dans des tunnels et des forêts. Maintenant, il était visiblement déterminé à me guider encore plus loin que lors de mes aventures précédentes. Il était mon ami et je lui faisais confiance, alors je le suivis. Je passai devant Yipes et regardai dans le trou, puis je tendis les bras devant moi comme si j'allais plonger dans l'eau. Ce fut un véritable défi d'avancer une fois à l'intérieur, mais je réussis à progresser lentement jusqu'à ce que ma tête émerge au-dessus du sol sous un soleil chaud et radieux.

Yipes me suivit et nous nous retrouvâmes dans les Collines interdites, les murs de Bridewell se dressant là, plus près que je ne l'avais espéré. Mais nous étions dissimulés derrière d'épaisses broussailles qui formaient une sorte de tunnel au-dessus du sol, s'éloignant de Bridewell et menant dans les régions sauvages.

— Ce garde est peut-être allé chercher des renforts, prévint Yipes. Ils nous chercheront des ennuis, alors nous ferions mieux de nous dépêcher.

Nous nous retournâmes et marchâmes aussi vite que possible sur le sentier caché. Il y faisait chaud et on y était à l'étroit tandis que nous nous enfoncions de plus en plus loin sur un territoire où je n'aurais jamais imaginé être assez brave pour m'aventurer. Au bout d'un long moment, Yipes s'arrêta, là où le sentier se ramifiait en trois.

— Voilà. C'est ici que la carte commence, dit-il.

Je retirai la carte de mon sac et la déposai par terre. On y voyait bel et bien une fourche où trois chemins prenaient des directions différentes. La carte indiquait que nous devions suivre celui du milieu jusqu'au moment où nous apercevrions une roche géante sur notre parcours. C'est là que nous trouverions un espace vert et l'entrée de la grotte secrète.

— Nous ne sommes pas très loin, peut-être un peu plus d'un kilomètre encore, dit Yipes. Continuons. Qui sait ce que nous découvrirons une fois là-bas?

Environ une demi-heure plus tard, nous surgîmes des broussailles pour nous retrouver dans un lieu plus rocheux et désolé. Nous étions dans un long ravin étroit dont le sol noueux était tapissé de buissons vert foncé et d'arbres morts et anguleux. Il y régnait une atmosphère sombre et lugubre. Tout était cassant et dur sous nos pieds. De grosses roches rondes et sans couleur meublaient le paysage dans toutes les directions.

Je m'assis sur le sol chaud et étalai la carte devant moi.

— Il y a des roches partout ici, dis-je. Mais celle-ci est indéniablement la plus grosse.

Je désignai une masse volumineuse qui faisait saillie devant nous. Elle était rouge et brune, et avait la forme d'un énorme nez émergeant du sol.

Je m'épongeai le front, en nage, et bus un peu d'eau dans mon outre. Nous contournâmes la roche et les broussailles denses, à la recherche d'une entrée dans la grotte ou d'un indice qu'il y en avait bien une. Des nuages blancs cotonneux dissimulèrent le soleil et des ombres envahirent le ravin.

Yipes escalada la roche et se plaça tout au bout du nez. Il semblait réfléchir à la façon dont les choses étaient disposées autour de lui, évaluant la dimension des arbres morts et du taillis pour voir s'ils étaient là où ils auraient dû être. Un instant plus tard, il traversa la surface d'un bond et sauta sur le sol, à un mètre de moi.

Le bruit de son atterrissage fut différent de celui auquel je m'attendais. J'avais anticipé un son mat et dense, mais cela sonnait plutôt creux, comme si la couche de terre était plus mince, là. Yipes sauta et retomba sur le sol, et je ne pus m'empêcher de penser qu'il y avait quelque chose d'étrange dans cette portion de terre. Yipes sauta de nouveau à plusieurs reprises tout en s'éloignant de la roche. Il finit par atterrir là où le sol laissait entendre un son plus normal.

Il se retourna et fit face à la roche, accroupi. Au même instant, nous aperçûmes tous les deux, avec une certaine surprise, un petit bout de corde entortillée de façon rudimentaire et à moitié enterrée. Yipes le saisit et l'examina, puis il se tourna vers moi.

— À toi l'honneur, dit-il.

J'agrippai la corde et tirai, projetant dans les airs un abattant en bois couvert de terre dont le dessous grouillait d'insectes et d'araignées. Une bouffée d'air frais et humide s'éleva du trou noir au-dessous.

CHAPÌTRE 4

JOHN CHRISTOPHER

Yipes et moi nous assîmes et laissâmes nos pieds pendre dans le trou; l'air, bien que chargé d'une odeur de moisi, était rafraîchissant. Je passai les mains le long de l'ouverture, où la terre était dure. Plus mes mains descendaient, plus le mur était frais. Je laissai mes pieds et mes bras se balancer dans le trou encore un moment, puis je sentis une araignée remonter le long de mes doigts et me retirai vivement de l'ouverture pour retrouver la chaleur du ravin.

— Nous n'avons guère le choix, dit Yipes. Nous allons devoir entrer là-dedans, et le plus tôt sera le mieux. Au moins il n'y fera pas aussi chaud qu'ici.

Il n'y avait pas d'échelle sur les parois et, même si la lumière pénétrait dans l'ouverture, je ne pouvais pas dire si je voyais le plancher du tunnel ou non. Je crus d'abord qu'il n'était qu'à deux mètres de profondeur et que je pourrais sauter sans problème. Mais mes yeux commencèrent alors à me jouer des tours. J'essuyai la sueur sur mon front et laissai tomber une pierre de la taille de mon poing dans le trou, scrutant le fond et prêtant l'oreille. À mon grand soulagement, elle atterrit rapidement et à portée de vue, sa masse grise se découpant dans la pénombre, moins de trois mètres plus bas. Yipes sauta le premier et ne parut pas avoir de problème à l'atterrissage. Cela me donna le courage dont j'avais besoin pour l'imiter et, même si je me retrouvai à quatre pattes sur le sol, nous avions réussi à entrer dans la grotte secrète.

Je ramassai la pierre que j'avais jetée dans le trou, me disant qu'elle pourrait me servir d'arme en cas de besoin. Le tunnel allait dans une seule direction et le plafond était plus bas que je ne l'avais espéré, si bas que je devais me pencher pour avancer. Six pas dans ce nouveau monde souterrain me plongèrent dans la quasi-obscurité, avec Yipes qui me suivait de près. Une petite créature, probablement un mulot, détala devant moi tandis que je repoussais les toiles d'araignée de la main. Sans réfléchir, je tentai de toucher le plafond de terre au-dessus de ma tête. Tandis que j'avançais, le tunnel s'était élargi et avait gagné en hauteur; je me rendis compte que je pouvais me tenir debout bien droite dans l'air froid. J'aperçus devant moi ce que je m'attendais à voir derrière : la lumière venant de l'ouverture, qui ressemblait davantage à une lampe lointaine qu'à la lueur du jour qui entrait de l'extérieur. Je tâtonnai pour trouver le mur de terre froid et me retournai. Ce n'est qu'à ce moment-là que je commençai à comprendre où nous étions.

À l'entrée du tunnel, il y avait un rond de lumière : l'ouverture par laquelle nous étions passés. Je pivotai et regardai de nouveau dans la direction où nous allions et je vis la lueur au loin qui évoquait une lampe vacillante. Puis j'entendis un grand *boum!* et me retournai pour constater que le rond de lumière avait disparu. Quelqu'un ou quelque chose nous avait enfermés.

— C'est un rebondissement malheureux, dit Yipes.

— Nous n'avons plus le choix maintenant, déclarai-je.

Quelle que soit la chose que Warvold voulait que nous récupérions, elle est quelque part ici. J'espère seulement qu'elle n'a pas de griffes ni de dents pointues.

Un petit animal poilu m'effleura la cheville et je poussai un cri. Bondissant dans les airs, je me cognai la tête contre le plafond et reçut une pluie de terre.

— Il y a quelque chose ici avec nous, Yipes. Quelque chose à mes pieds.

— Ce n'est probablement qu'un mulot ou un rat, répondit-il. Ne t'inquiète pas trop, à moins de sentir qu'on te mordille les orteils.

J'enlevai la terre qui était tombée sur moi, puis je continuai à marcher vers la lueur tremblotante, avançant petit à petit dans le noir, les mains tendues pour briser les toiles d'araignée et sentir les obstacles sur mon chemin.

— Hé! fis-je à voix basse. Il y a quelqu'un?

— Je suis là, dit Yipes pour me taquiner.

Je souris dans l'obscurité et demandai tout haut si quelqu'un était là, à part Yipes, mais personne ne répondit.

À trois mètres de là, trois bougies étaient placées l'une près de l'autre sur une grande table en pierre. Une ombre apparut brusquement sur le mur et ma gorge se serra. Je me plaquai contre la paroi du tunnel et demeurai immobile, le froid du mur me mordant la nuque. De nouveau, quelque chose me frôla la cheville en passant par-dessus mes sandales. Cette fois, la lueur des chandelles éclairait juste assez le sol pour qu'on y distingue des formes, et je vis la silhouette d'un gros rat marcher sur mon pied gauche. Je hurlai et, d'un coup de pied, envoyai la bête répugnante de l'autre côté du tunnel. Elle s'écrasa contre le mur avec un bruit sourd avant de déguerpir hors de ma vue.

— Bon, allez maintenant. Nous n'avons pas toute la journée. Il y a beaucoup à faire en peu de temps.

C'était une voix que je ne reconnaissais pas, grave mais amicale, venant de quelque part au-dessus de nous. Yipes parla le premier.

— Qui êtes-vous? Qu'est-ce que vous faites ici?

Il y eut un long silence, puis la voix répondit :

— Mon nom est John Christopher. Warvold m'a demandé de vous accueillir ici. Et si cela ne vous rassure pas, peut-être qu'un autre de vos amis saura le faire.

La voix se tut un instant, puis elle poursuivit :

— Ce pauvre animal que tu chasses à coups de pied dans le noir est un rongeur qui m'a rendu à moitié fou au cours des quelques heures que nous avons passées ici. Il court sans arrêt et bondit partout dans la grotte. Je crois que vous connaissez tous deux Murphy.

Je sortis de ma cachette et l'écureuil traversa la grotte en courant avant de me sauter dans les bras.

— Murphy! m'écriai-je. Quelle merveilleuse surprise!

Yipes franchit la distance qui le séparait encore de la lumière et je le suivis, caressant la douce fourrure de Murphy tout en marchant. Nous nous retrouvâmes dans une petite pièce souterraine, à la lueur des trois bougies.

— C'est terriblement bon de te revoir, chuchotai-je à Murphy. Si seulement j'avais une jocaste pour que nous puissions nous parler.

— Tu ferais mieux de t'habituer à trébucher dans le noir,

27

dit John. C'est une situation qui se répétera souvent au cours des prochains jours.

La lueur des bougies dansa sur son visage, juste assez intense pour qu'on distingue ses yeux brillants et la forme de sa figure. C'était un homme grand, mince mais fort, et à ma grande surprise, il portait un *C* sur le front. Il s'agissait donc d'un ancien criminel; je me sentis soudain très mal à l'aise au fin fond de la grotte.

— Je vois que tu as remarqué mon front, dit John. C'est bien. Autant en parler tout de suite avant d'aller plus loin.

Je posai Murphy par terre et lui tapotai la tête; il trottina et bondit sur la table au milieu de la pièce. Sa grosse queue poilue s'agitait nerveusement de haut en bas, jetant des ombres irrégulières sur les murs.

— Murphy! s'écria Yipes. Calme-toi, tu veux? Tu vas nous donner mal à la tête.

Murphy s'éloigna des bougies, exécuta un flic-flac et coinça sa longue queue entre ses deux pattes de devant en retombant. Il continua à trembler et à remuer frénétiquement, ses grands yeux noirs faisant saillie de façon comique et son aimable petit visage arborant une expression cocasse.

— Je ne sais pas ce qu'on va faire de lui, dit John. Le pauvre est incapable de rester sans bouger. L'avez-vous déjà observé pendant qu'il dormait? C'est du pareil au même, tous ces tics et cette excitation. Je vous le dis, je ne sais pas combien de temps encore je pourrai rester ici avec lui. Une journée, ça me suffit pour toute une vie.

Tout le monde se tourna vers Murphy, qui éternua trois

fois en cinq secondes sans jamais lâcher sa queue et qui semblait beaucoup s'amuser. Pendant que Yipes s'efforçait de le calmer, John reprit la parole.

— Où en étions-nous? demanda-t-il. Oh, oui! La lettre *C* sur mon front. C'est vrai que j'ai été un criminel au service de M. Warvold. Mais les rapports entre nous étaient particuliers. J'étais ce qu'on pourrait appeler un petit malfaiteur. Je ne prenais que ce dont nous avions absolument besoin pour survivre : un peu de pain par ici, un poulet par là, l'hébergement gratuit dans une grange ou un hangar. Warvold a vu en moi quelqu'un qui pouvait lui être utile, quelqu'un à qui il pourrait confier une tâche importante et secrète. C'est sur cette tâche que nous devons concentrer notre attention maintenant.

— Pourquoi avez-vous fermé la porte secrète par laquelle nous sommes entrés? demandai-je.

Et, en y pensant bien, je me demandai aussi comment il avait pu le faire.

— C'est un endroit dangereux ici. On ne sait jamais qui peut rôder dans les Collines interdites, ni ce qui aurait pu se retrouver ici si je ne nous avais pas enfermés.

— Oui, mais comment l'avez-vous fermée d'aussi loin? insistai-je.

Je n'étais pas encore certaine de pouvoir faire confiance à John Christopher.

— Disons seulement qu'il y a plus d'une façon d'entrer dans cette pièce et que j'ai eu connaissance de votre arrivée lorsque vous avez soulevé l'abattant.

Murphy lâcha sa queue, et celle-ci se mit à osciller de

haut en bas, projetant des ombres partout dans la pièce.

— Murphy! hurla Yipes.

Cette fois, l'écureuil sauta de la table pour revenir dans mes bras, enfouissant sa tête dans le creux de mon coude. Il y eut un profond silence dans la pièce. Stupéfaite, j'observai John tandis qu'il se penchait en avant et soufflait les bougies, nous laissant dans la noirceur totale.

Il n'y avait plus aucune protection maintenant.

CHAPITRE 5
CE QUE WARVOLD A LAISSÉ

Une obscurité saisissante régnait tout autour. Apeurée, je reculai pour trouver un mur contre lequel m'adosser tout en appelant Yipes dans le noir. Murphy s'agitait dans mes bras et vint s'asseoir sur mon épaule d'un bond, sa queue remuant contre ma nuque. Je tournai la tête pour le regarder, mon nez touchant le sien, mais je ne distinguais pas sa face.

— Prends ma main, dit John. Allez, prends-la. Nous avons très peu de temps et certainement pas une minute à perdre à avancer à l'aveuglette.

Je me sentais mal à l'aise de mettre ma main dans la sienne. Je le connaissais à peine et il était beaucoup plus grand que moi. Dans l'obscurité de la grotte, j'avais les mains tremblantes et l'impression d'être prise au piège, comme si je n'avais pas le choix de faire ce qu'on me disait.

Je gardai une main contre le mur et tendis l'autre dans le vide. Lorsque je touchai celle de John, je constatai à quel point ma main était petite dans la sienne. La texture rêche de sa peau évoquait une vieille corde nouée. Je saisis sa main et il me guida le long du mur de la grotte jusqu'au moment où je ne sus plus vraiment où nous étions.

— Assieds-toi, Alexa, dit-il.

Je tâtai le sol froid et terreux, et m'assis lentement. Murphy demeura sur mon épaule, agrippant mes cheveux épais entre ses pattes de devant et frissonnant de frayeur. Yipes se trouvait quelque part dans la pièce, mais il ne disait rien et je ne pouvais pas être certaine de l'endroit où il était ni de ce qu'il faisait.

Je restai assise dans la grotte noire et prêtai l'oreille en entendant le son du roc glissant contre le roc, non loin de là. Puis, miraculeusement, la grotte fut baignée d'une lumière faible, mais beaucoup plus brillante que la lueur des bougies. Tandis que le bruit de friction du roc persistait, un kaléidoscope de couleurs rougeoyantes se répandit tout autour de nous. Les épaules voûtées, je marchai vers la source de lumière, Murphy trottinant sur mon dos, et je me retrouvai sur une grosse roche. Le dessus était plat et son centre avait été sculpté pour former un bol. Il y avait quelque 30 centimètres d'eau dans le bol et, au fond reposait une pierre rutilante d'où irradiaient du rouge et du jaune, comme de la braise dans un feu.

— Une jocaste, murmurai-je.

— La dernière, dit John.

Son visage rayonnait, comme s'il avait trouvé le plus formidable des trésors perdus depuis longtemps.

— Elle a été placée ici il y a de nombreuses années sur l'ordre de Warvold, continua-t-il. L'entrée de la grotte était située là auparavant, mais elle était facilement visible et il l'a camouflée.

À quelques mètres de là, John désigna un tas de pierres qui bloquait ce qui avait manifestement déjà été une ouverture.

— Nous avons largement dépassé l'endroit où les criminels ont creusé leurs tunnels près de Bridewell. Ils ne se sont jamais rendus aussi loin dans les Collines interdites. Du moins, la plupart d'entre eux.

John marqua une pause, allongea le bras et tapota la tête de Murphy.

— Warvold m'a confié la tâche de creuser le petit tunnel qui mène à cette grotte, ainsi que celle de bloquer l'ancienne entrée. C'est moi qui ai choisi la roche tendre qui allait contenir la dernière des jocastes, qui l'ai ciselée en son centre et qui ai trouvé une plaque de pierre pouvant couvrir parfaitement le bassin secret. C'est un travail qui a demandé de nombreuses années, comme tu peux l'imaginer.

Yipes se pencha au-dessus du bassin et regarda dans l'eau; la lueur de la jocaste ondulait sur son visage, où on pouvait lire une profonde nostalgie, comme s'il avait découvert une chose dont il avait la certitude qu'elle n'existait plus. Il n'aurait mis qu'un instant pour la saisir dans sa main minuscule.

— Cette pierre t'est destinée, Alexa, dit John.

Yipes me regarda en souriant et approuva d'un signe de tête.

— Nous ne savons pas pourquoi il en est ainsi, mais c'est ce que Warvold m'a demandé de vous dire, à tous les deux. Cette pierre a quelque chose d'extraordinaire, quelque chose de plus que tout le reste.

Tout cela avait été fait pour moi? Toute cette planification et ce travail minutieux afin de protéger cette pierre en particulier. C'était difficile à imaginer. Warvold avait fait preuve d'une grande confiance en John Christopher et, soudain, j'eus le sentiment de pouvoir me fier à lui.

— Si tu ne la prends pas bientôt, la tête de Murphy va exploser, dit Yipes. Il est sûrement très excité à l'idée de parler avec toi.

La dernière jocaste. Yipes et moi étions retournés à la mare irradiante du mont Norwood à maintes reprises dans l'espoir de la trouver. Et durant tout ce temps, elle nous attendait, cachée dans la grotte par Warvold. Murphy se mit à me gratter le dos et je plongeai la main dans l'eau froide et limpide. Je refermai mes doigts sur la pierre lisse qui avait la grosseur d'une prune et la sortis de l'eau.

— Le brave Murphy, à votre service! dit l'écureuil sur mon dos.

La magie de la jocaste opérait toujours. Pendant les quelques minutes qui suivirent, nous bavardâmes entre vieux amis, nous informant surtout de nos allées et venues et de ce que nous avions fait. Il me raconta qu'il était attablé devant une délicieuse noix pour souper lorsque John l'avait appelé.

— John habitait déjà les régions sauvages avant même que les murs soient construits et il a visité la mare irradiante bien avant toi, m'expliqua Murphy.

John ouvrit un petit sac en cuir qu'il portait autour du cou et en retira une pierre bleue éclatante.

— Ce n'est pas la dernière jocaste, mais ça fera l'affaire, dit-il.

Nous nous tournâmes tous les deux vers Yipes en

souhaitant qu'il pût retourner dans le temps et récupérer sa propre jocaste. Mais il semblait s'accommoder parfaitement de la traduction que nous faisions pour lui.

— Je suis si heureux de prendre part à l'aventure, dit-il.

— Il n'y a plus de temps à perdre à jacasser dans la grotte, intervint John. Vous aurez tout le loisir de vous parler, une fois dehors.

Nous traversâmes le tunnel à la lueur des jocastes, John ouvrant la marche.

— Comment saviez-vous que nous allions arriver ici aujourd'hui? demandai-je à notre guide.

John éclata de rire.

— Tu ne peux pas imaginer le nombre de fois où j'ai voulu dire à Yipes de te remettre la lettre. Mon seul devoir consistait à le surveiller et à attendre qu'il te la donne. L'ennui était insoutenable. Dès qu'il est parti te chercher, j'ai réuni Murphy et quelqu'un d'autre, selon les instructions de Warvold, et je suis venu directement ici. Nous vous attendions depuis hier soir.

Nous arrivâmes là où l'abattant avait été refermé. J'avais apporté ma première jocaste, maintenant terne et sans vie, dans la pochette à mon cou. John m'indiqua que je devais retirer la vieille pierre et la remplacer par la nouvelle. Je m'exécutai et, lorsque John replaça sa jocaste dans sa cachette, tout redevint noir.

J'entendis un petit bruit sec au-dessus de ma tête, comme le son d'un caillou heurtant l'abattant en bois. Un instant après, l'abattant se souleva, et une lumière crue et brillante enveloppa le tunnel. Je dus me protéger les yeux de la main avant de regarder par l'ouverture. Une silhouette passa la tête à l'intérieur, mais ce n'était pas celle d'une personne.

— Elle a beaucoup grandi. Elle n'est plus la petite fille qu'elle était.

Ces mots avaient été prononcés dans un doux grondement par la voix majestueuse d'un loup; le contour de son énorme tête se découpait au-dessus de moi dans la lumière éblouissante.

— En effet, dit John, qui sortit une échelle de l'ombre dans un coin et la plaça contre la paroi du tunnel.

— Darius, c'est toi? demandai-je en trottinant jusqu'au bord de l'ouverture tandis que Murphy quittait mon épaule d'un bond.

— J'ai bien peur que les aventures de Darius soient terminées. Tu devras te contenter de moi.

C'était Odessa, la compagne de Darius. Elle était tout aussi imposante que Darius et dotée d'yeux bleus perçants et d'impressionnantes dents blanches. C'était une créature puissante et, même si je savais intuitivement qu'elle était mon alliée, sa présence me terrifiait à un point tel que j'avais du mal à me tenir debout à côté d'elle. Ce n'était pas le cas pour Murphy qui avait déjà grimpé sur son dos et sautait en poussant de petits cris sans raison particulière. Odessa semblait tout à fait indifférente.

Yipes atteignit le haut de l'échelle et vint se placer debout à côté de moi; puis John referma l'abattant et condamna la grotte. Dans le ravin, le vent se leva et une buse piqua vers le sol pour venir se poser sur l'épaule de Yipes.

— Je me demandais quand tu allais revenir, petite

polissonne. Encore partie chasser? dit Yipes. Et arrête de fixer Murphy comme ça. Ce n'est pas un repas, mais un membre de notre équipe.

Murphy s'accrocha fermement à la fourrure d'Odessa, écarquillant ses yeux sombres et minuscules.

Ainsi, l'équipe était au complet : Yipes, John Christopher, Murphy, Odessa la louve, Squire la buse et moi. Nous formions un drôle de mélange d'animaux et d'humains, et je réalisai alors que Warvold voyait bien plus que ce que l'œil perçoit quand il regardait une créature. Car qui songerait à quitter ce monde en confiant une quête grandiose et inachevée à une enfant, un ancien criminel, un homme adulte pas plus grand qu'un garçonnet de cinq ans et un étrange assortiment d'animaux?

John avait tout bien préparé. Il y avait trois sacs en cuir, un grand et deux petits, ainsi qu'une provision d'eau répartie dans quatre outres de grand format. Les outres étaient entrelacées, deux de chaque côté, et toute la réserve d'eau reposait sur le dos d'Odessa, bien fixée autour de sa taille et de son cou. Les outres contenaient chacune quatre litres d'eau et plus, mais, pendues aux robustes flancs d'Odessa, elles paraissaient plus faciles à transporter. La louve s'acquitterait de sa tâche sans problème.

Je constatai que mon sac était assez lourd et chaud contre mon dos moite. Murphy y ajouta encore un kilo en s'installant dans le cuir, là où le cordon était tiré derrière ma tête. Squire était repartie, volant devant nous dans les nuages, et mes deux compagnons humains semblaient prêts à partir.

Encore une chose, Alexa, dit Yipes en retirant une petite loupe de la poche de sa veste. Tu sais que chaque pierre porte un message pour la personne à qui elle est destinée. Si on jetait un coup d'œil à la tienne?

J'éprouvais un sentiment étrange d'incertitude à propos de la pierre et, pour des raisons que je ne pouvais pas expliquer, je ne voulais pas savoir ce qu'elle aurait pu dévoiler.

— Je crois que je vais attendre, si ça ne t'ennuie pas, dis-je.

Yipes demeura perplexe devant ma décision, puis il haussa les épaules et commença à rassembler ses dernières affaires. Une fois prêt, il lissa sa moustache et promena son regard sur notre petit groupe.

— Et maintenant? demanda-t-il.

Nous nous tournâmes tous vers John en espérant qu'il avait une petite idée de ce que nous devions faire ensuite.

CHAPITRE 6
L'ESSAIM NOIR

Un sentiment de malaise régnait tandis que nous étions debout au milieu des grands espaces des Collines interdites, avec le soleil qui tapait fort et la peur grandissante de voir quelqu'un se lancer à notre recherche.

— Yipes, dis-je, crois-tu que le garde viendrait jusqu'ici pour nous retrouver?

Yipes réfléchit un moment avant de répondre :

— Je ne pense pas. Les gardes s'affairent probablement à fouiller les tunnels. Ils ne penseront pas que nous avons pu nous rendre aussi loin dans les Collines interdites.

Nous nous tenions tous côte à côte, nous demandant ce que nous devions faire maintenant que j'avais accompli la tâche que Warvold m'avait expliquée dans sa lettre.

— Je ne comprends pas, dis-je. Pourquoi Warvold m'a-t-il envoyée jusqu'ici pour que je récupère la dernière pierre sans laisser d'autres instructions? Croyez-vous qu'il souhaitait simplement que je la récupère?

John et Murphy échangèrent un regard, puis John s'agenouilla et examina son sac pour s'assurer que tout était solide.

— Il y a certaines choses que je sais, dit-il. Des choses que Warvold a partagées avec moi au fil des ans. Des indices expliquant pourquoi nous sommes ici et où nous devons aller.

Il leva les yeux vers nous et s'essuya le front du revers de la main. Puis il parla.

— Quelque part au-delà des Collines interdites s'étend la vallée des Épines. Au fond de cette vallée se trouve un lac d'une profondeur et d'une noirceur inhabituelles. Sur la rive la plus éloignée se dresse la Tour obscure.

On aurait dit le début d'une des histoires lugubres de Warvold. John prit une grande inspiration et poursuivit.

— Bien que personne de la communauté de Bridewell n'ait jamais voyagé jusque là-bas, Warvold s'est rendu plus d'une fois à la Tour obscure et dans le pauvre village qu'elle domine. C'est à voix basse qu'il m'a parlé de ces endroits et de leur histoire. Je pourrai vous en dire davantage en cours de route, mais nous ne pouvons pas rester ici plus longtemps. Des dangers invisibles nous guettent.

Il se leva de nouveau et jeta son sac par-dessus son épaule avant d'indiquer du doigt les coins les plus reculés des Collines interdites.

— Voilà ce que je peux vous dire pour l'instant : nous devons voyager au-delà de la vallée des Épines, là où Warvold s'est aventuré. Ce n'est qu'une fois là-bas que nous obtiendrons les réponses que nous cherchons.

Pour la première fois, je commençai à me demander dans quoi je m'étais embarquée. Tout cela me paraissait beaucoup trop dangereux pour une fille de 13 ans, surtout sans la permission de ses parents.

— Êtes-vous certains que ce soit une bonne idée? demandai-je. Je ne peux pas imaginer ce que mon père dirait s'il apprenait que je suis partie si loin. Il serait furieux.

Mais en prononçant ses mots je me rappelai la lettre de Warvold. *Il s'agit d'un voyage secret auquel il ne peut pas prendre part. Ton père est au courant de certaines choses, de certaines situations, et tu peux être sûre qu'il comprendra pourquoi tu dois te rendre dans les Collines interdites.*

— C'est ta décision, Alexa, dit John. D'une façon ou d'une autre, il faut partir. Nous ne pouvons pas rester ici plus longtemps.

Je portai instinctivement la main à la pochette de cuir pendue à mon cou et tâtai la jocaste cachée à l'intérieur. La dernière jocaste. Je l'avais en ma possession et Warvold souhaitait qu'elle soit emportée quelque part dans un but quelconque. Si je rentrais à Bridewell, l'affaire resterait inachevée, ce qui aurait des conséquences terribles que je ne pouvais même pas imaginer.

— Passez devant, dis-je à John.

Nous ne mîmes pas longtemps à comprendre pourquoi les Collines interdites étaient un endroit qui, une fois qu'on l'avait visité, laissait rarement de bons souvenirs. Au bout d'une heure seulement, nous fûmes forcés d'arrêter à cause du soleil qui dardait sur nous ses rayons brûlants. J'étais surtout navrée pour Odessa et Murphy, qui était sorti de mon sac et marchait maintenant; couverts d'une épaisse fourrure, ils devaient être au bord de l'épuisement. Pourtant, ni l'un ni l'autre ne se plaignait et, même si nos conversations languissaient, ils poursuivaient leur chemin avec bonne humeur.

Le vrai problème avec les Collines interdites était le manque d'abri. Plus nous avancions, plus le paysage était désolé. Mis à part quelques rares pierres qui jetaient une parcelle d'ombre, il n'y avait qu'une grande étendue de terre séchée et de broussailles noueuses qui lacéraient les jambes comme des griffes pointues. Au milieu de cette zone morne et inhabitée, nous trouvâmes un assez gros rocher à côté duquel nous nous assîmes, tournant le dos au soleil. Le sol avait emmagasiné de la chaleur durant toute la journée, comme le rocher, et cela, conjugué au peu d'ombre que celui-ci procurait, conféra à notre moment de repos un caractère désespéré. Nous en profitâmes pour boire de l'eau et manger quelques fruits secs, ce qui nous apporta un grand plaisir et un certain réconfort. Pourtant, nous commencions à saisir la réalité de la situation : notre aventure exigerait un travail dur et dangereux qui nous forcerait à dépasser nos limites.

— Tu tiens le coup, Alexa? demanda Odessa. C'est un terrain difficile sur quatre pattes; je ne peux pas imaginer à quel point ce doit être pénible sur deux pieds.

Cela me rappela le périple qui m'avait conduite au mont Norwood, la première fois que j'avais rencontré Yipes, et comment il avait pris fin à la mare incandescente alors que j'avais les pieds douloureux et couverts d'ampoules.

— Je crois que j'y arriverai, répondis-je. Si seulement il ne faisait pas aussi chaud.

— Le soleil va bientôt se coucher, dit Yipes. Il fera plus froid alors.

John nous considéra tous, las d'avoir tant marché.

— Est-ce que quelqu'un a déjà entendu parler de ce qu'on appelle l'essaim noir? demanda-t-il.

Nous échangeâmes tous un regard intrigué, ne sachant pas à quoi il faisait allusion. De toute évidence, personne n'avait entendu parler d'une telle chose.

— Nous avons du chemin à faire avant d'arriver à l'abri, continua-t-il. Je suis déjà passé par ici auparavant et il y a un endroit que nous devons trouver.

John s'interrompit et but quelques gorgées d'eau à même l'une des outres.

— Il y a très longtemps que je n'y suis pas allé, mais je crois qu'on pourrait y être avant la tombée de la nuit. Ça vaudrait mieux : l'essaim se montre le soir.

— John, commença Yipes d'une voix qui trahissait sa nervosité, qu'est-ce que c'est, l'essaim noir?

John avala une autre gorgée avant de répondre.

— Des chauves-souris, dit-il. Mais pas l'espèce qui se nourrit d'insectes. Ces chauves-souris se tiennent ensemble pour former une masse géante qui tournoie tandis qu'elle cherche une proie à dévorer. Je ne les ai vues qu'une fois, de loin, mais Warvold les connaissait bien. Si elles nous trouvent, notre expédition prendra fin rapidement.

Nous étions déjà tous debout, prêts à faire route vers l'abri avant la tombée de la nuit sans aucun autre mot d'encouragement de la part de John.

Au cours des deux heures qui suivirent, ce fut une lutte acharnée contre les éléments. Alors que mon corps était trempé de sueur, et mon dos, douloureux, voilà que mes chevilles commençaient vraiment à me faire souffrir. J'avais frôlé d'innombrables chardons et des buissons secs et épineux. J'avais les jambes qui brûlaient et qui me démangeaient, des genoux jusqu'aux pieds et, à l'intérieur de mes sandales, de la terre et de minuscules pierres crissaient et me piquaient à chaque pas.

La nuit tombait lorsque nous arrivâmes devant un gros arbre mort, cassé au milieu et carbonisé à la suite d'un feu, le sommet reposant maintenant contre un tas de grosses pierres rouges.

Murphy grimpa tout en haut de l'arbre cassé, scrutant l'horizon à la recherche de Squire, que nous n'avions pas revue depuis plus d'une heure. Elle se tenait un peu à l'écart du groupe, en partie parce que c'était naturel chez les buses, mais probablement aussi et surtout parce qu'aucun d'entre nous ne pouvait parler avec elle. On ignorait pourquoi, mais les jocastes n'avaient aucun effet sur les oiseaux.

— Ici, dit John.

Il avait fait le tour de l'arbre et était accroupi dans la terre. Je contournai l'arbre à mon tour et me penchai à côté de lui. Sur le sol se trouvait une grosse pierre; John effleura sa surface lisse de la main. Je commençais à avoir du mal à voir à mesure que la nuit tombait.

J'entendis Squire hurler dans les airs, au loin. Je me retournai pour la chercher des yeux, mais elle était invisible dans le ciel obscur.

— Squire nous a rejoints, dit Murphy.

Il sauta de l'arbre et atterrit sur le dos d'Odessa, frémissant de peur.

— Ce n'est pas Squire, dit Yipes. C'est autre chose.

44

John se leva et inspecta l'horizon, puis il prononça quatre mots qui me donnèrent des frissons dans le dos.

— Ce sont des chauves-souris.

CHAPITRE 7
DES INDICES
DANS LE NOIR

— Allez, tout le monde, contre le rocher! cria John.

Il appuyait de tout son poids sur celui-ci. La masse de pierre s'inclina de quelques centimètres avant de s'écraser de nouveau sur le sol avec un bruit sourd.

Yipes fut le premier à se joindre à John, puis Odessa plaça sa tête contre la pierre, poussant avec ses pattes. Un instant plus tard, tous les trois réussirent à faire rouler la roche sur le côté, découvrant l'entrée d'un abri souterrain. Celui-ci paraissait terriblement noir et petit, de l'endroit où je me tenais.

Les chauves-souris hurlèrent encore une fois, et je me tournai dans la direction d'où venaient leurs cris. Mais dans l'obscurité de la nuit, je ne pouvais pas distinguer de formes dans le ciel. Elles étaient plus près, assez pour nous voir si nous ne nous cachions pas rapidement.

— Entre, dit John en me regardant.

— Quand êtes-vous allé là-dedans pour la dernière fois? demandai-je. Peut-être qu'un animal s'y est réfugié et qu'il attend que le premier d'entre nous se montre.

Cela me rappelait la première fois où j'étais allée dans les tunnels à Bridewell et l'impression que j'avais eue d'être tombée dans la bouche d'un géant.

Murphy passa à côté de moi en trottinant et disparut dans l'abri. Un glapissement me parvint de l'intérieur.

— Aucun problème, dit-il. Ce n'est qu'un trou désert où il n'y a pas grand-chose à voir.

Les hurlements des chauves-souris s'étaient encore rapprochés et j'étais convaincue que rien ne pouvait être pire que d'être déchiquetée par elles. Je descendis, et les autres me suivirent aussitôt.

Constatant que je ne pouvais pas me tenir debout, je me tapis contre un mur et Murphy sauta sur mes genoux. Au pied de la petite ouverture donnant sur l'extérieur se trouvait une autre grosse pierre, plus ronde que la première. John plaça immédiatement son épaule contre elle et entreprit de la faire rouler devant l'entrée. Lorsqu'elle bloqua complètement l'ouverture, je pus entendre les battements d'ailes et le bruit assourdissant des chauves-souris volant en essaim au-dessus de nous. Certaines d'entre elles semblaient battre des ailes contre l'autre côté de la pierre, tournoyant dans l'espace juste au-dessus de nos têtes. Et soudain, elles s'en allèrent, ne laissant derrière elles qu'un murmure hostile. Je réalisai à quel point il faisait noir.

Tout le monde demeura silencieux, de peur qu'une chauve-souris solitaire soit demeurée derrière la pierre, à l'affût du moindre bruit pour rattraper l'essaim et le ramener. Mais il n'y avait aucun bruit, sauf celui de nos respirations et de la queue de Murphy qui frétillait malgré ses efforts pour rester immobile.

J'entendis John chercher quelque chose à tâtons, puis la

pièce fut illuminée par une douce lueur bleue émanant de la jocaste qu'il tenait dans sa main. Il allongea le bras devant lui et j'arrivai à distinguer pour la première fois l'endroit où nous nous trouvions.

C'était une pièce petite et basse sans le moindre meuble. Il y avait cependant deux choses que je repérai tout de suite : une tasse en bois, éraflée et usée, posée sur une couverture soigneusement pliée. Elles avaient été placées là, seules, au beau milieu de la pièce.

— Nous pouvons parler maintenant. Elles ont passé leur chemin, dit John.

J'aperçus Yipes en allant m'asseoir à côté de la tasse et de la couverture. Lui, Odessa et Murphy étaient les seuls qui pouvaient se tenir debout dans la pièce; et, dans le cas d'Odessa, c'était juste.

— C'est le genre d'endroit que j'aime, plaisanta Yipes. C'est douillet et le plafond est exactement à la bonne hauteur.

Il sourit et balaya la pièce d'un regard joyeux; la lumière bleue délavée que diffusait la pierre se reflétait dans ses yeux.

— Nous devrons passer la nuit ici, dit John. Je peux déplacer la pierre un peu pour laisser entrer de l'air frais, mais seulement une fois que nous aurons rangé la jocaste.

Yipes s'empara des outres à eau sur le dos d'Odessa et John sortit des noix, des fruits et de la viande séchée. Je pris la vieille tasse sur la couverture et la retournai, me demandant qui avait bien pu la laisser là.

— Warvold est passé par ici, dit John. Plus d'une fois,

selon moi. Il m'avait parlé de cet endroit, il y a très longtemps. Je suis un peu surpris d'avoir pu nous amener ici sans encombre.

À un certain moment, dans un passé lointain, Warvold avait bu dans cette tasse. Il était venu ici, s'était assis à cet endroit même, fuyant l'essaim noir tout comme nous.

Je pris un coin de la couverture et commençai à enlever la poussière à l'intérieur de la tasse.

— Qu'est-ce que c'est que ça? demanda Murphy.

Il avait entrepris d'inspecter toute la pièce, grimpant aux murs et reniflant partout où il passait. S'arrêtant devant la couverture, il enfouit son museau là où j'avais soulevé le coin de tissu pour nettoyer la tasse. Lorsqu'il en ressortit, il tenait des bouts de papier entre ses dents. Je déposai la tasse et m'en emparai aussitôt.

Il s'agissait d'une merveilleuse découverte et tous s'avancèrent pour voir les pages de plus près, excités à l'idée de ce qu'elles pourraient révéler. Je les feuilletai et constatai que c'était un véritable trésor que Murphy avait découvert.

— C'est l'écriture de Warvold! m'écriai-je.

Murphy pouvait à peine se contenir, bondissant et courant dans tous les sens. Il y avait cinq pages, toutes noircies recto verso par l'écriture familière de Warvold.

John tint sa jocaste encore plus près et tout le monde s'approcha. Odessa se coucha à côté de moi, rongeant un morceau de viande séchée, et Murphy sauta sur son dos.

Je remplis la tasse d'eau et en bus une longue gorgée. Puis je m'éclaircis la voix et lus ce qui était écrit sur les pages afin que chacun puisse entendre.

49

CHAPITRE 8

CASTALIA

« Il n'y a qu'une seule autre personne, morte ou vivante, à qui j'ai parlé de cet endroit secret. J'ai construit cet abri il y a de nombreuses années et j'y ai souvent trouvé refuge lorsque je voyageais d'une extrémité à l'autre de la contrée d'Élyon. J'ai bien peur que ce soit la dernière fois que je vois ces murs et il y a des choses que je dois mettre par écrit, au cas où mon heure sonnerait bientôt.

John Christopher, j'espère que tu as su trouver cette lettre. Plus important encore, j'espère qu'Alexa est avec toi et qu'elle a la dernière pierre en sa possession.

Soyez patients tandis que je vous raconte brièvement l'histoire des régions au-delà de la vallée des Épines. »

J'observai les visages teintés de bleu autour de moi. Tout le monde avait cessé de manger, même Odessa.

— Voilà qui promet d'être intéressant, dit Yipes.

Il lança une noix dans sa bouche et se pencha en avant comme un enfant sur le point d'entendre une histoire formidable. Je bus encore de l'eau dans la vieille tasse en bois et continuai ma lecture.

« Il y a quelque trois cents ans s'établit un petit royaume au bord d'un grand lac. Celui-ci fut baptisé le lac Castalia et, peu après, le royaume lui-même fut désigné par ce nom.

Les Castaliens prospérèrent durant cent ans. L'eau du lac irriguait leurs cultures et la population augmenta au point que plusieurs milliers de personnes vivaient le long du rivage. C'est alors que les Castaliens connurent une série de malchances.

Ils reçurent la visite d'un homme appelé Victor Grindall. Bien que de stature moyenne et d'apparence modeste, il était accompagné d'une bande de cent hommes de très grand gabarit, qui étaient au moins deux fois plus gros que n'importe qui à Castalia.

Les Castaliens formaient un peuple timide et, n'ayant jamais été importunés par qui que ce soit, ils ne connaissaient pas grand-chose aux armes et à la guerre. Les hommes de Grindall, malgré leur allure sympathique, étaient intimidants en raison de leur taille. Grindall donna le choix aux Castaliens : ou ils le nommaient à la tête de leur royaume, ou ses géants envahiraient la cité et la prendraient de force.

Bien des années plus tard, les descendants de Grindall et les géants y vivent encore et, même aujourd'hui, Castalia est aux mains d'un homme diabolique et des sombres forces qui le guident. »

Je levai les yeux, perplexe devant l'étrange histoire que Warvold rapportait.

— Warvold aimait bien concocter des histoires à dormir debout, dis-je en essayant de me rassurer moi-même. Ça lui ressemble d'écrire quelque chose comme ça.

Je ne sais pas pourquoi mais, même en prononçant ces paroles, j'avais le sentiment qu'il ne s'agissait pas d'une histoire comme les autres.

— Aimerais-tu que je termine la lecture? proposa Yipes. Que cette histoire soit vraie ou non, je veux savoir ce qui va se passer.

Il tendit la main et je lui donnai les pages. Je pris la tasse en bois entre mes mains et en effleurai le bord éraflé avec mon pouce, espérant sentir la présence de Warvold.

Yipes poursuivit d'un débit assuré, sa voix aiguë se répercutant sur les murs.

« Il n'y a pas si longtemps, deux sœurs habitaient Castalia. L'aînée s'appelait Catherine, et la plus jeune, Laura. Elles vivaient en secret parmi les pauvres de Castalia, sous le neuvième règne des Grindall. Rares sont ceux qui savent comment elles en sont venues à vivre cachées et ce qu'elles ont découvert au plus profond de la nuit, mais je vais vous raconter une petite histoire.

Les fillettes étaient orphelines. Catherine avait 13 ans et Laura, 11, et elles furent forcées de prendre soin l'une de l'autre et de trouver de la nourriture et un abri au milieu de la misère qui régnait sur la place du village. Castalia était devenue depuis déjà longtemps un village paysan tentaculaire. La Tour obscure se dessinait tout en haut, clocher sombre et menaçant où, génération après génération, les hommes de la famille Grindall avaient nourri les plus cruelles intentions.

Les jeunes filles étaient déterminées à fuir Castalia et à trouver un nouveau foyer, bien que les portes fussent gardées par des géants. Catherine était maligne, toujours à l'affût, et elle trouva une issue. Les deux sœurs se cachèrent à l'intérieur d'une charrette à ordures et franchirent la porte et les limites de la ville en direction du dépotoir.

Elles se retrouvèrent dans un endroit envahi par les arbres et les broussailles; la plupart des bâtiments autour d'elles avaient vu leurs murs s'écrouler et étaient maintenant remplis de détritus. Une odeur nauséabonde flottait dans l'air. Les fillettes avaient échoué dans un lieu autrefois habité par des Castaliens, mais qui était désormais utilisé pour se débarrasser des rebuts. Cet endroit avait longtemps été appelé la cité des Chiens, car de nombreuses meutes de chiens sauvages rôdaient dans les environs, se nourrissant comme ils le pouvaient au milieu du bourbier dans lequel les filles se retrouvaient maintenant.

Elles découvrirent une vieille tour à horloge recouverte de lierre, vestige de pierre au coin d'une rue oubliée, près du dépotoir, qui avait été laissée en ruine depuis déjà longtemps. Cet endroit allait devenir leur maison.

Le premier soir, elles demeurèrent au rez-de-chaussée, trop effrayées pour grimper à l'échelle contre le mur et pousser la trappe dans le plafond. Mais le lendemain matin, affamées et cherchant quelque chose à faire, les filles gravirent les sept échelons et poussèrent l'abattant en bois qui menait au sommet de la tour. Mais la porte était bloquée et refusait de céder et, même si je n'étais pas là et qu'on m'a simplement rapporté l'histoire, c'est à ce moment-là précisément, semble-t-il, qu'une meute de chiens sauvages a commencé à renifler la base de la vieille structure, grognant de façon menaçante en flairant les nouvelles venues. »

— Ralentis, Yipes, dit John. J'arrive à peine à comprendre ce que tu dis.

Yipes était hors d'haleine, lisant à un rythme effréné, emporté par l'excitation; l'histoire devenait palpitante. Il s'arrêta et me tendit les pages.

— Tu ferais mieux de terminer le récit, Alexa, dit-il. Je ne pourrai pas m'empêcher de lire à toute vitesse jusqu'à la fin. Mais ne va pas trop lentement, d'accord?

Je hochai la tête et pris les pages, les parcourant rapidement pour repérer l'endroit où Yipes avait été interrompu. J'avais peur de voir comment l'histoire allait finir, mais j'étais aussi terriblement curieuse d'en savoir plus long sur plusieurs choses. Qu'arriverait-il à Catherine et à Laura? Pourquoi Warvold avait-il laissé une note à leur sujet? Qui étaient-elles? Et que dire des géants et de Victor Grindall? Étaient-ils réels ou fictifs?

Je m'efforçai de maîtriser le tremblement de mes mains, inspirai profondément et continuai la lecture.

« *Du haut de l'échelle, les filles regardèrent en bas et constatèrent que la pierre qu'elles avaient enlevée pour entrer dans le bâtiment n'avait pas été replacée. Les chiens sauvages entraient, toute une meute, écumant et grondant férocement à mesure qu'ils approchaient de l'échelle. Et soudain, quelque chose de très étrange se produisit.*

L'abattant en haut de l'échelle fut soulevé.

Ne voyant aucune autre issue, Catherine et Laura se glissèrent à l'intérieur et s'appuyèrent contre le mur. Il n'y avait qu'une faible lumière dans la pièce, mais il était évident que quelque chose se cachait là. Une allumette fut grattée et une vieille et grosse bougie fut allumée dans un coin. Une créature était assise, recroquevillée contre le mur, les bras autour de ses genoux pliés.

C'était un géant. »

CHAPÍTRE 9

CE QUE LE GÉANT A DIT

Nous avions lu la moitié de ce que Warvold avait écrit, et la pièce commençait à sentir le renfermé à cause du manque d'air frais. Mais cela n'avait pas d'importance. Nous étions tous captivés par le récit.

— Attends juste un instant pendant que je laisse entrer un peu d'air, dit John.

Il se dirigea vers la pierre, incapable de se tenir debout dans la pièce, et remit sa jocaste dans sa pochette en cuir.

La pièce devint brusquement obscure, à un point tel que je ne pouvais plus voir les feuilles dans ma main, tandis que le rocher se déplaçait dans l'ouverture. De l'air tiède s'infiltra lentement dans la pièce, la douce brise du soir charriant de minuscules grains de poussière. Nous restâmes assis dans le noir en silence, attendant que la jocaste s'illumine de nouveau.

John Christopher était aussi impatient que nous de terminer l'histoire que Warvold nous avait laissée; aussi, nous n'attendîmes pas longtemps avant d'entendre la pierre rouler de nouveau à sa place et de voir la pièce baignée d'une lueur bleue.

— Il ne reste que quelques pages, dis-je en les feuilletant.

Dois-je continuer ?

Tous acquiescèrent énergiquement et ma voix emplit la pièce, dévoilant le reste du récit de Warvold.

« Nous voilà donc devant une créature qui a une perception des choses qu'aucun paysan de Castalia ni dirigeant de Bridewell ne pouvait soupçonner. Le premier soir, Catherine, Laura et le géant firent connaissance et, au cours des jours qui suivirent, le géant leur confia un grand nombre de secrets au sujet de lui-même, de sa race et de l'histoire des Grindall. Ce que je vais vous dire maintenant vous plongera au cœur d'un conflit auquel vous ne pourrez vous soustraire. Votre ennemi, qui rôde tout près dans la vallée des Épines, ne sera plus un mystère pour vous ce soir même.

Lorsque Élyon créa le monde et la race humaine, il créa autre chose : une centaine d'êtres puissants qu'il appela des séraphes. Ces derniers avaient pour devoir de protéger la contrée d'Élyon à partir du royaume de la Dixième Cité, un lieu secret où Élyon avait élu domicile et d'où tout était visible. Bien que les séraphes aient été créés pour surveiller la race humaine, il leur était interdit de quitter la Dixième Cité.

L'un des séraphes s'appelait Abaddon et il était plus puissant que tous les autres. Abaddon était rongé par la jalousie et il voulait diriger la contrée d'Élyon. En secret, il convainquit les séraphes qu'ils devaient entrer dans le royaume des hommes et des femmes pour les protéger. Lorsque les séraphes arrivèrent dans la contrée d'Élyon, ils prirent la forme de géants, plus costauds et plus forts que les hommes normaux, mais ils conservèrent leurs pouvoirs.

Lorsque Élyon découvrit ce que les séraphes avaient fait, il devint furieux et les bannit de la Dixième Cité à jamais. Abaddon, dont le pouvoir grandissait de façon incontrôlable, était plus difficile à maîtriser que les 99 autres. Une dure bataille s'engagea entre Élyon et Abaddon; en fin de compte, Abaddon fut enchaîné dans une grande fosse aux abords de la Dixième Cité.

Élyon utilise une grande partie de sa propre force pour retenir Abaddon dans la fosse. Pourtant, même si Abaddon ne peut pas en sortir, il peut encore faire respecter sa volonté de plusieurs façons. Il parvient à corrompre les hommes, même de loin, exploitant leur côté malfaisant à son propre avantage. Il y a aussi les chauves-souris. Se trouvant dans la fosse en toute innocence quand Abaddon arriva, elles sont aujourd'hui sous son emprise et infestent la contrée d'Élyon.

Abaddon souhaite détruire la contrée d'Élyon ainsi que la Dixième Cité afin de pouvoir tout diriger et chasser Élyon.

S'il veut réussir, Abaddon doit compter sur les esprits maléfiques et les faibles, et s'en servir pour parvenir à ses fins. Victor Grindall est l'homme le plus puissant à être tombé sous l'influence d'Abaddon. Ce dernier peut faire fléchir la volonté de Grindall et l'amener à exécuter ses ordres.

Dans ce cas-ci, il utilise Grindall pour trouver les pierres.

Vous vous demandez peut-être d'où viennent les pierres. Il y avait un endroit dans la contrée d'Élyon qui n'existe plus aujourd'hui, un endroit que seuls Élyon et les séraphes connaissaient. Il s'agissait d'un lieu magique, où la création a commencé et où les premières voix ont été entendues. Il y a très longtemps, il n'y avait qu'un seul langage entre les animaux et *les humains, et même la voix d'Élyon pouvait être perçue et comprise par quelques-uns. N'ayant pas le droit de retourner dans la Dixième Cité, c'est là que les séraphes se sont d'abord installés, à l'abri des gens.*

Cet endroit était censé demeurer secret. Mais Abaddon s'est servi de Grindall pour s'y rendre, disant des paroles que les séraphes semblaient comprendre. Quelque chose chez Grindall les a poussés à le suivre. Ils étaient loin de se douter que c'était la voix d'Abaddon qui les appelait de la fosse pour leur dicter ses ordres.

Par l'entremise de Grindall, Abaddon chargea les géants de rassembler les pierres qui reposaient dans une mare en cet endroit secret, des pierres qui transmettaient le pouvoir d'entendre la langue originale d'Élyon. Et alors les séraphes sont partis, obéissant à la seule voix qui évoquait leur origine. Victor Grindall les guida jusqu'à Castalia.

Mais Abaddon fut déçu, car certaines pierres avaient été enchantées par Élyon de façon à n'être cueillies que par les mains de ceux qu'il avait choisis. »

— Il ne reste qu'une seule page, dis-je.

Tout le monde dans la pièce paraissait aussi perplexe et étonné que je l'étais.

— Lis le reste, Alexa, dit John. J'ai l'impression que nous n'avons pas encore entendu le plus important.

C'est également le sentiment que j'avais, comme si quelque chose de terrible était sur le point de se produire. J'approchai la dernière page de la lumière de la jocaste et me remis à lire :

« *Deux cents ans après que le premier Grindall fut mort et enterré, Armon le géant fut nommé gardien des pierres. La lignée des Grindall en était à son neuvième règne et les pierres qui restaient étaient gardées dans une mare dans la partie la plus profonde de la Tour obscure, dans le coin le plus noir du cachot, où Armon veillait sur elles.*

Jour après jour, Armon surveillait les pierres qui reposaient dans le bassin d'eau, jusqu'au jour où l'une d'elles se mit à luire faiblement. Succombant à la curiosité, Armon saisit la pierre et entendit pendant un bref moment la voix oubliée d'Élyon, lointaine mais claire, venant de la Dixième Cité. Dès lors, Armon se sentit tenu de protéger les pierres qui restaient, de s'en emparer et de quitter Castalia. Il se réfugia dans la cité des Chiens, se cacha dans la tour à horloge et fut découvert par Catherine et Laura.

Lorsque Armon toucha la pierre, Abaddon finit par réaliser ce qu'Élyon avait fait. Il comprit que les pierres qui restaient avaient le pouvoir de le détruire si elles se retrouvaient dans les mains de ceux qu'Élyon avait choisis. Ainsi, Abaddon eut recours à tous ses pouvoirs pour transmettre au Grindall régnant un désir insatiable de s'emparer des pierres.

Nous nous retrouvons aujourd'hui au cœur du dixième règne des Grindall et, si les choses se sont déroulées comme je l'espérais, Alexa a en sa possession la toute dernière pierre. Depuis le début, c'est elle qu'Élyon a choisie, et il a laissé le sort du monde entre ses mains.

Il revient à Alexa maintenant de vaincre Abaddon. »

CHAPITRE 10
PÉRIPLE DANS LES COLLINES INTERDITES

Évidemment, j'étais sans voix. Je restai assise en silence à réfléchir à tout ce que cela signifiait. Si ce récit était vrai, alors j'avais la dernière jocaste, et cette bande de joyeux lurons dont je m'étais entourée était tout ce que j'avais pour m'aider. Je pris conscience alors qu'il s'agissait du même type de groupe qui avait réussi à faire abattre les murs autour de mon royaume et à sauver Bridewell du complot maléfique qui la menaçait. John Christopher, Yipes, Murphy, Odessa et Squire : peu importe le pétrin dans lequel je me trouvais, je devais croire que mes compagnons me protégeraient et m'aideraient jusqu'au bout. En regardant les visages autour de moi, je fus soulagée, excitée même, de suivre les chemins que ce bon vieux Warvold avait parcourus, jusqu'à des endroits que je ne pouvais qu'imaginer. Je souris.

— BOUH! criai-je.

Yipes bondit si haut qu'il se cogna la tête au plafond, tandis que Murphy tourna sur lui-même, roula sur le dos d'Odessa, atterrit sur ses pattes et fila dans un coin de la pièce. John et Odessa bronchèrent à peine et restèrent où ils étaient.

— Pourquoi as-tu fait ça? demanda Yipes. Tu as fait une

peur bleue à ce pauvre Murphy.

Je laissai échapper un petit rire, puis John fit de même et, bientôt, nous riions tous en chœur, ce qui permit de calmer la tension qui régnait dans la petite pièce. Lorsque tout le monde fut calme et silencieux de nouveau, je désignai le verso de la dernière page des notes de Warvold.

— Il y a une autre carte ici, dis-je. Je crois qu'elle nous servira de guide au cours des prochains jours.

C'était un croquis simplifié fait de signes et de traits, avec un titre griffonné dans le haut de la feuille : *À travers les Collines interdites vers la vallée des Épines (route sans chauves-souris)*.

— C'est encourageant, dit Murphy du haut de son nouveau perchoir, sur mon épaule.

Les écureuils ont des griffes étonnamment pointues et celles de Murphy s'enfonçaient un peu trop profondément dans ma peau.

— Tu t'agrippes un peu fort, Murphy, dis-je. Tu n'as pas peur, n'est-ce pas?

Murphy desserra sa prise et fourra son museau humide dans mon oreille, chose qu'il avait l'habitude de faire quand il en avait assez de mes questions.

— Nous devrions nous reposer, dit John. D'après ce qui est indiqué sur cette carte, c'est au moins trois jours de marche à travers des terres accidentées qui nous attendent. Nous ferions mieux de dormir tandis que nous avons un endroit sécuritaire pour le faire.

Tous parurent d'accord. La jocaste fut rangée et le rocher, roulé devant l'ouverture de façon à ne laisser entrer qu'un filet d'air frais. Bientôt, je fus la seule encore éveillée. L'obscurité opaque dans la pièce m'effrayait. Pour me réconforter, je songeai à mon bureau, chez nous, à Lathbury : le dessus couleur noyer, le bois âgé à la fois dur et mou, sans que l'on sache pourquoi, l'odeur des vieux livres tout autour de moi. Je roulai sur le côté et serrai Murphy contre ma poitrine, apaisée par son souffle léger et tiède. Bientôt, je dormais à poings fermés comme les autres.

Les heures avant l'aube furent plus froides que prévu et tout le monde se réveilla tôt le lendemain matin. Nous ramassâmes rapidement nos quelques affaires et commençâmes à marcher vers le nord; seule une délicate teinte d'orangé à l'horizon trahissait la présence du soleil. Immédiatement, je sentis la brûlure des premières égratignures causées par les broussailles séchées sur mes jambes, de même que le sol poussiéreux sous mes pieds. Murphy était assis sur mon sac, grignotant quelques noix pendant que je mangeais une poignée de pommes et de figues sèches.

Au cours des trois jours suivants, nous nous fiâmes à la carte, guettant constamment les intrus durant cet interminable périple dans les terres arides. Je ne pouvais pas en être certaine, mais, à la fin du quatrième jour, j'estimai que nous devions être à environ 160 kilomètres de Bridewell, distance qu'il aurait été impossible de franchir à cheval en raison des nombreuses fissures et montées. Au moment où le soleil se couchait, je regardai dans la direction d'où nous étions venus et réalisai, avec un certain étonnement, combien j'étais loin de chez moi.

— Nous devrions continuer aussi longtemps que possible jusqu'à la tombée de la nuit, dit Yipes. Nous avons parcouru presque tout l'itinéraire sur la carte, mais nous commençons aussi à manquer de provisions et d'eau.

J'avais oublié à quel point Yipes pouvait se montrer déterminé quand il avait quelque chose en tête. D'après la carte, nous atteindrions la vallée au cours de la journée du lendemain. Nous étions tous extrêmement curieux de voir à quoi ressemblait cette vallée, mais le seul fait d'entendre son nom m'inquiétait

— Les journées sont plus faciles pour moi à mesure que nous progressons, dit Odessa. Moins d'eau signifie que j'ai une charge moins lourde à porter : ça et Murphy de temps à autre, mais il est léger comme une plume.

Le soir s'installa doucement tandis que la chaleur libérait la terre de son emprise. Squire nous rejoignit, se posant sur le sac de John et regardant nerveusement autour d'elle, au cas où elle aurait la chance d'apercevoir des mulots. John prit un bout de viande séchée dans une petite poche sur le côté de sa tunique et le tint derrière sa tête. Squire le lui arracha aussitôt et le déchiqueta en petits morceaux entre ses griffes et son bec. Peu de temps après, elle s'envola de nouveau. Je m'amusai avec Murphy à essayer de la suivre des yeux jusqu'au moment où elle disparut à l'horizon et où nous la perdîmes de vue tous les deux.

Peu de temps après, nous amorçâmes une conversation sur les avantages et les inconvénients d'un corps couvert de poils. La discussion devint assez animée; les deux animaux donnèrent une foule de raisons pour lesquelles il était enviable d'avoir un pelage et insistèrent sur le fait qu'une créature sans poil marchant debout sur deux pieds était franchement dégoûtante, spectacle qui leur avait été en grande partie épargné grâce à l'utilisation de vêtements. Yipes, John et moi finîmes par remporter le débat, mais seulement parce que la chaleur oppressante accentuait le problème que posait le fait d'avoir un manteau qu'on ne pouvait jamais enlever.

Lorsque je levai les yeux de nouveau, le soleil n'était pas plus gros qu'une lamelle au loin; nous trouvâmes une clairière entourée d'un fourré où nous abriter pour la nuit. Nous n'étions plus qu'à quelques heures de marche de la vallée des Épines et tout le monde s'inquiétait de ce qui nous y attendait.

— Plus tôt nous atteindrons la vallée des Épines, plus tôt nous pourrons découvrir ce que tout ça signifie, dit John. Ce que nous avons de mieux à faire pour l'instant, c'est nous reposer et nous lever tôt. Au plus tard demain après-midi, nous y serons.

— Je me demande ce qu'il est advenu des filles, dis-je.

J'étais déjà allongée et ma tête reposait sur mon sac.

— Catherine et Laura, murmurai-je, me laissant déjà gagner par le sommeil, épuisée après une longue journée. Je me demande où elles sont allées ou si nous le saurons jamais.

Je tentai de rester éveillée pour mieux réfléchir à ce mystère, mais, l'instant d'après, je sombrai dans un profond sommeil.

Plus tard, au milieu de la nuit, je fus réveillée par Odessa. Elle gardait le camp depuis plusieurs heures, et c'était mon tour d'en faire autant. L'air de la nuit avait refroidi et je frissonnai en me redressant, mettant mes bras autour de mes genoux.

— Tout est tranquille? chuchotai-je.

— Squire est revenue il y a une heure et m'a fait sursauter, mais elle se repose à côté de Yipes pour l'instant, répondit la louve. À part cela, tout est silencieux, sauf John. Il est plus agité que d'habitude cette nuit; il s'est réveillé à plusieurs reprises et a regardé aux alentours pour voir si j'étais toujours à mon poste.

Je me levai et marchai jusqu'à l'entrée de notre camp, contemplant de loin ce qu'il restait des Collines interdites. Tout était si morne, si désolé. Même la nuit, je saisissais clairement la terrible aridité du paysage. Je me retournai et vis qu'Odessa s'était recroquevillée près de John; ils parlaient à voix basse tous les deux. Puis j'aperçus Murphy qui traversait furtivement le camp pour aller se mettre en boule aux pieds de John. Les heures à ma montre s'écoulèrent lentement, habitées par Castalia et toutes ses étranges merveilles, jusqu'au moment où la première lueur orangée du matin toucha notre camp; tous s'agitèrent soudain, bien éveillés, préparant tranquillement leurs affaires en prévision de notre marche finale sur le sol des Collines interdites.

CHAPÎTRE II

MA LORGNETTE REPREND DU SERVICE

— Il y quelqu'un tout près, dit John.

— Qu'est-ce que tu veux dire? demanda Odessa en reniflant l'air pour capter une odeur inconnue.

Mais John continua son chemin sans répondre. Lorsque je le questionnai à mon tour, il pivota et s'adressa à nous tous.

— Il y a quelque chose qui ne va pas ici. C'est comme cette impression que j'ai lorsqu'il fait noir et que je pense qu'on m'épie. J'entends alors une brindille craquer et j'ai un coup au cœur. C'est le sentiment que j'ai eu durant toute la matinée.

— De quoi penses-tu qu'il s'agit, John? demanda Yipes.

Sa voix exprimait l'inquiétude que nous ressentions tous.

John haussa les épaules, se retourna et reprit la marche.

— Je n'en ai pas la moindre idée.

Nous avions marché durant tout l'avant-midi, presque toujours en silence, et notre anxiété ne fit qu'augmenter après les confidences de John. J'aurais préféré qu'il garde ses craintes pour lui. Mais il ne l'avait pas fait et je me retrouvais à imaginer toutes sortes de monstres abominables nous surprenant dans les ténèbres des Collines interdites.

Nous nous dirigions vers une grosse colline depuis un certain temps déjà et nous finîmes par nous retrouver à son pied, dans un ravin à sec. Même s'il ne s'agissait pas réellement d'une montagne, la colline devant nous était à la fois escarpée et très longue d'un bout à l'autre, s'étendant à chaque extrémité bien au-delà de ce que nous pouvions distinguer. Ne trouvant pas de moyen de la contourner, nous savions qu'il nous faudrait la gravir. Nous jugeâmes bon de nous arrêter et de consulter la carte tout en prenant quelques minutes de repos avant de commencer à grimper.

Je promenai mon regard sur la terre desséchée et observai Murphy qui se nettoyait les pattes et qui se frottait la tête, de l'avant à l'arrière, avec ses petites pattes de devant. Debout entre Yipes et John, je réalisai à quel point ils étaient crasseux. Ils avaient une barbe de plusieurs jours et leurs cheveux étaient sales. En plus, ils puaient. Je me dis alors que je devais avoir l'air aussi sale et sentir aussi mauvais que mes compagnons, et cette pensée me déprima momentanément.

— Nous sentons mauvais, dis-je.

Yipes et John échangèrent un regard. Puis chacun d'eux leva un bras et sentit la région ainsi exposée. Insatisfaits, ils s'avancèrent vers moi, reniflèrent encore une fois et se détournèrent.

— J'ai bien peur que ça vienne de toi, ma chère, dit Yipes. On ne peut pas dire que tu sens la rose.

John approuva d'un signe de tête.

— Vraiment? dis-je, et je commençai à renifler l'air autour de moi.

Murphy, qui prenait toujours ma défense dans de telles situations, remonta aussitôt la jambe de Yipes, s'agrippa à sa veste avec ses griffes et enfouit sa tête menue sous l'aisselle de Yipes. Ce dernier se mit à gigoter, tournoyant sur lui-même jusqu'à ce que Murphy sortît prendre une bouffée d'air, une expression de dégoût sur son petit visage.

— Celui-ci sent épouvantablement mauvais! s'exclama Murphy. Et que dire de celui-là!

Il reporta son regard sur John, qui avait croisé les bras fermement sur sa poitrine.

— Il fait trois fois la grandeur de Yipes et sue à grosses gouttes.

Au moins, je n'étais pas la seule qui avais besoin d'un bain. C'était une maigre consolation, pour ne pas dire insignifiante.

Nous étudiions tous la carte lorsque John virevolta et regarda à droite sur la colline chauve.

— Je le sens encore une fois, dit-il. Il y a quelqu'un ou quelque chose tout près.

Il désigna un massif d'arbustes à demi morts à l'autre bout du ravin, à côté d'une petite élévation de terre.

— Allons nous réfugier dans les broussailles et restons hors de vue jusqu'à ce que nous décidions de ce que nous allons faire. J'ai bien peur que la vallée des Épines se trouve juste de l'autre côté.

Nous nous dirigeâmes en toute hâte vers les broussailles où nous nous tapîmes les uns contre les autres dans la poussière. L'abri que cela nous procurait n'était pas suffisant pour nous cacher complètement, mais, au moins, nous n'étions plus à découvert au beau milieu du ravin. C'était maintenant le début de l'après-midi et le soleil était chaud, mais pas autant qu'il ne l'avait été jusqu'alors durant notre périple. Une légère brise s'était levée et, bien qu'elle ne fût pas vraiment vivifiante, elle exhalait une fraîcheur qui n'avait rien à voir avec la chaleur accablante des jours précédents, comme si ce vent avait son origine dans un endroit plus froid.

— Si c'est vrai que nous nous trouvons à la lisière de la vallée des Épines, avons-nous la moindre idée de ce que nous allons faire maintenant? demanda Odessa, dont les oreilles s'étaient dressées sur son imposante tête grise, en signe d'alerte.

— Où est Murphy? demandai-je, ne le voyant pas parmi nous dans le fourré.

Nous regardions tous autour de nous lorsque le bruit de cailloux dégringolant la colline nous parvint d'en haut. Je fus d'abord terrifiée à l'idée de ce que j'allais voir, mais, quand je levai les yeux, je constatai que Murphy s'était précipité sur la colline, ses minuscules pattes le propulsant en zigzag tandis qu'il se cachait sous des touffes de mauvaises herbes. Il fut rapidement à mi-chemin, se retourna, bondit et agita ses membres dans tous les sens. Puis il repartit à toute allure.

— Je ne sais pas ce que je vais faire de lui, dit Yipes en secouant lentement la tête. Il n'a pas une once de bon sens.

— Peut-être que c'est l'odeur de ton aisselle qui lui a brouillé la cervelle, dis-je.

— Silence, vous deux, dit John. Je l'ai perdu dans les broussailles, près du sommet.

Je pris ma lorgnette, la même que j'avais dérobée à ma mère et utilisée à Bridewell l'été précédent. La lentille fracassée par Pervis avait été remplacée, et la lorgnette m'avait paru comme neuve lorsque ma mère me l'avait offerte pour mon treizième anniversaire. Je fis glisser les sections avec un bruit sec et la tendis à John. La lorgnette s'était déjà révélée utile en cours de route, mais c'était la première fois que j'étais réellement soulagée de l'avoir apportée.

Nous demeurâmes tous silencieux pendant un moment alors que John tentait de repérer Murphy sur la colline.

— Voilà, je l'ai. Il arrive tout juste au sommet.

J'attendis en silence, observant Yipes qui levait discrètement son bras droit et reniflait son aisselle; mais je fus incapable de tenir ma langue plus longtemps, tellement je m'en faisais pour Murphy.

— Qu'est-ce qui se passe? Est-ce que vous le voyez toujours?

Au même instant, un hurlement se fit entendre au-dessus de nos têtes, et nous levâmes les yeux vers le ciel. Squire décrivait des cercles dans les airs, observant la scène d'en haut. À ce moment-là, je regrettai de ne pas pouvoir voler aussi, ne serait-ce que pour un instant, afin de voir tout ce qui nous attendait sur l'autre versant de la colline.

— Vous savez, tout ça a bien du sens, maintenant que j'ai eu le temps d'y réfléchir, dit Yipes.

— Qu'est-ce qui se passe? répétai-je, trop inquiète de la situation critique de notre ami pour tenir compte de la remarque de Yipes.

— Non, vraiment, poursuivit Yipes. Je ne pense pas qu'il a perdu l'esprit, du moins, pas complètement. Si l'on y réfléchit bien, les personnes, ou quoi que ce soit d'autre qui se trouve de l'autre côté de la colline, guettent fort probablement les intrus. Un écureuil ne représente pas une menace. En fait, il a toutes les chances de passer tout à fait inaperçu. J'aurais seulement préféré qu'il nous permette d'en venir à cette conclusion avec lui au lieu de partir précipitamment et tout seul.

John referma la lorgnette et me la tendit sans regarder vers moi.

— Il est à mi-pente. Là, dit-il en indiquant une petite boule de fourrure brune zigzaguant avec légèreté vers le bas de la colline.

Murphy nous rejoignit, complètement hors d'haleine et momentanément incapable de parler. Nous nous rassemblâmes autour de lui jusqu'à ce qu'il parvînt enfin à prononcer deux mots pour nous dire ce qu'il avait vu.

— Des géants, dit-il.

Il prit encore quelques inspirations laborieuses, nous regarda tous et ajouta :

— Beaucoup de géants.

LA VALLÉE DES ÉPÎNES

Nous restâmes tous assis, silencieux et immobiles, tandis que Murphy nous racontait ce qu'il avait vu du haut de la colline, marquant une longue pause de temps à autre pour me permettre de transmettre les informations à Yipes. Même si ce dernier semblait tout à fait content que les détails lui parviennent par l'entremise de quelqu'un d'autre, je me sentis mal pour lui qui ne percevait qu'une longue série de glapissements lorsque Murphy parlait.

Il y avait une pente escarpée sur l'autre versant, qui donnait sur un peu moins de cent mètres de vallée dont le sol était très semblable à celui des Collines interdites. Venait ensuite une vaste étendue de ce qui ressemblait à de minces souches d'arbres dépassant du sol, à perte de vue d'un côté à l'autre, selon Murphy. Au pied des souches se trouvait un tapis de chaume brun sur lequel marchaient une dizaine d'hommes d'une stature imposante, que Murphy avait décrits comme des géants. Au fil de sa description, Murphy se rendit compte que les arbres n'avaient pas été coupés là où ils se trouvaient maintenant, car ils étaient trop près les uns des autres et disposés d'après un schéma parfait. Les arbres, ou poteaux de bois, (plus il parlait, moins Murphy était certain de ce que c'était) dépassaient du sol à différentes hauteurs : certains étaient au ras du sol, d'autres faisaient presque un mètre de haut et d'autres encore, près de deux mètres. Tous étaient noirs à la base et taillés en pointe à leur extrémité, laquelle était peinte rouge vif.

Les souches s'alignaient dans le fond de la vallée sur quelque cent mètres de plus, au-delà desquels la vallée se parait d'une profusion de teintes de vert. Un peu plus loin, on notait la présence saisissante d'un lac bleu vif. Murphy le décrivit comme « magnifique tant par ses dimensions que par sa couleur ».

— Castalia, dit Odessa.

Le mot resta en suspens jusqu'à ce qu'une question de John vînt le chasser.

— Les géants sont-ils trop loin de l'autre versant de la colline pour être atteints par une flèche bien placée?

Murphy considéra la colline d'un air songeur, essayant de se rappeler à quelle distance ils se trouvaient vraiment.

— Tu atteindrais peut-être la lisière, mais les géants marchaient entre les poteaux, vers le milieu. De plus, j'ai cru voir une tête émerger de la terre; ils ont peut-être creusé des tranchées. Ou alors il y a de très petits géants là-bas, éparpillés parmi les plus gros. Je crois qu'une volée de flèches décochées du sommet de la colline iraient simplement échouer dans la vallée.

John et Yipes étaient les seuls qui avaient des arcs et une petite réserve de flèches; il était donc peu probable que nous puissions repousser même un seul géant.

— Une chose est sûre : il faut trouver un endroit où nous cacher, dit Odessa. Ils ont certainement l'habitude d'envoyer des éclaireurs sur le terrain, même ici.

Nous regardâmes aussi loin que nous le pouvions dans

toutes les directions et dûmes nous rendre à la triste évidence que le seul abri que nous pourrions dénicher était situé dans la direction d'où nous étions venus. Nous serions repérés par quiconque patrouillerait sur le sommet de la colline.

— Il y a au moins trois bons amoncellements de grosses pierres à moins d'un kilomètre d'ici, sur le chemin du retour, dit Yipes. Nous pourrions rester ici jusqu'à la tombée de la nuit, puis tenter d'en atteindre un, ou prendre le risque de nous y rendre en plein jour.

Aucune des deux options ne me paraissait très intéressante. Là où nous étions assis, nous ne disposions que de quelques misérables buissons derrière lesquels nous cacher. Par ailleurs, l'idée de nous aventurer dans les grands espaces des Collines interdites au beau milieu de la journée semblait hasardeuse, avec tous ces géants qui grouillaient autour.

— Peux-tu rappeler Squire? demanda John à Yipes.

— Je crois, oui, dit Yipes. Mais pourquoi?

— Je pense qu'elle pourrait nous être utile.

Yipes se leva et retira un mouchoir de coton rouge de la poche de sa veste. Il l'éleva au-dessus de sa tête et l'agita d'un côté et de l'autre pendant quelques instants, prenant soin de rester derrière un buisson afin de n'être vu que du ciel. Squire l'ignorait complètement et continuait de décrire des cercles, très haut dans les airs au-dessus de nous.

— Tu l'as bien entraînée, celle-là, dit Odessa. Est-ce qu'elle peut aussi se retourner sur elle-même et faire la morte?

Yipes agita alors le mouchoir rouge encore plus frénétiquement, mais il finit par admettre que Squire l'ignorait bel et bien. Il jeta un regard nerveux aux alentours jusqu'au moment où il aperçut Murphy, qui était occupé à grignoter une noix que je lui avais donnée à son retour.

— Il y a un moyen qui fonctionne presque toujours, dit Yipes.

Il s'agenouilla à côté de Murphy et nous regarda comme s'il s'apprêtait à faire quelque chose de sournois.

— Elle est comment, cette noix? demanda-t-il.

— Elle est excellente, merci, dit Murphy, bien que Yipes n'entendit qu'un petit cri aigu.

— Je suis tellement content que tu te régales.

Yipes tapota Murphy sur la tête, glissa sa main le long de son dos et le saisit par la queue.

Il y a une chose qu'un écureuil ne peut pas supporter et Yipes venait de le faire à notre petit compagnon. Par instinct, un écureuil qu'on tient par la queue se mettra à mordre, à griffer et à crier, et Yipes le savait très bien. Il s'éloigna rapidement du fourré et commença à faire tournoyer Murphy au-dessus de sa tête, ce qui empêchait l'écureuil de se retourner brusquement et de planter ses dents pointues dans l'avant-bras de Yipes. Pendant tout ce temps, Murphy hurlait à tue-tête et, même si ce n'est pas le son le plus puissant qui soit, les buses sont dotées d'une ouïe exceptionnelle (et d'une vue remarquable); Squire piqua presque immédiatement vers le ravin, à la recherche d'un écureuil pris au piège.

Dès que Squire vint vers nous, Yipes cessa de faire

tourner Murphy, s'accroupit et lâcha la queue de l'écureuil. Murphy roula plusieurs fois et atterrit, sonné, au milieu du terrain vague. Il chancela et tomba sur le côté, étourdi d'avoir autant tournoyé.

— Attrapez-le! cria Yipes.

Squire était à une trentaine de mètres de nous et fonçait droit sur Murphy. Étant la plus proche, je franchis précipitamment les quelques pas qui me séparaient de Murphy et me plaçai au-dessus de lui pour le protéger. Squire s'arrêta net et décrivit des cercles avant de se poser sur le bras tendu de Yipes.

— Ça s'est plutôt bien passé, vous ne croyez pas? dit Yipes.

Murphy était remis de ses émotions, et je le pris au creux de mon bras en lui tendant sa noix de l'autre main. Il la saisit et recommença à grignoter la coquille.

John s'avança vers la buse et plaça une main près de sa tête. Squire demeura calme tandis qu'il approchait lentement sa main et qu'il effleurait son cou du bout des doigts. Aucun d'entre nous, pas même John, ne pouvait savoir ce que Squire pensait ni si elle comprenait réellement ce que nous disions. John s'adressa pourtant à l'animal majestueux d'une voix posée.

— Peux-tu nous dire s'ils viennent?

Il fit glisser deux doigts le long du cou de l'oiseau jusqu'à la base de son aile, retira sa main et recommença à lui caresser le cou, lui parlant doucement encore une fois.

— Tu nous avertiras s'ils grimpent la colline?

Il enleva sa main, fouilla dans sa poche et offrit à Squire

un bout de viande séchée.

— Laisse-la partir, dit-il.

Yipes leva le bras, et les ailes puissantes de Squire emportèrent l'oiseau loin dans le ciel. Nous la suivîmes des yeux jusqu'à ce qu'elle eût repris son mouvement circulaire au-dessus de la colline, flottant tranquillement et observant tout ce qu'il y avait sous elle.

— Nous pourrions aussi laisser Murphy monter la garde, dit Odessa. Moi, je représente une belle prise qu'ils pourchasseront probablement avec leurs flèches, alors qu'ils ne prêteront pas attention à Murphy.

— Il ne passerait pas la journée, dit Yipes. C'est étonnant qu'il ne soit pas déjà mort.

Cette remarque me laissa d'abord perplexe, mais je compris tout à coup.

— Squire, dis-je.

— En effet, dit Yipes. C'est un bel oiseau, mais un rongeur est un rongeur et la nature étant ce qu'elle est…

Il leva les yeux vers le ciel.

— Cette buse dévorera Murphy si nous le laissons seul au sommet de la colline. Regardez-le, il ne peut pas rester sans bouger et, dans ce cas-ci, sa vie dépendrait de son immobilité. Nous ne pouvons pas courir ce risque.

Je sentais que Murphy tentait de se libérer de mon étreinte pour s'échapper et remonter sur la colline. Comme Yipes l'avait fait remarquer, il n'avait peur de rien; je le gardai donc près de moi et le calmai jusqu'à ce qu'il fût d'accord pour rester avec nous.

— Il faut courir de toutes nos forces vers les rochers qui

forment le plus grand amoncellement, à droite, et il faut le faire maintenant en espérant que Squire nous avertira si les géants se manifestent, dit John.

Tout le monde fut d'accord et, après un bref coup d'œil vers le ciel pour constater que Squire tournait toujours en rond, nous retournâmes en courant vers les Collines interdites. Odessa était de loin la plus rapide et elle passa devant, courant à toute allure. Quant à nous qui étions derrière, nous demeurâmes groupés, nous efforçant de ne pas trop piétiner les broussailles de crainte qu'un éclaireur ne voie où nous étions passés et ne signale notre présence.

Je guettais les cris de Squire malgré nos respirations difficiles, le bruit des sacs rebondissant dans notre dos et celui de nos pas traînant sur la terre sèche. Nous courions depuis quelques minutes, déjà tous épuisés, quand Odessa atteignit les rochers devant nous. Notre groupe avait encore un peu moins de 100 mètres à parcourir et, même si le plus dur était derrière nous, ce dernier sprint me parut s'étirer sur des kilomètres tellement j'étais à bout.

Avec moins de 50 mètres à franchir, j'avais l'impression de pouvoir presque toucher les rochers en allongeant le bras. Nous trouvâmes notre second souffle, stimulé par l'intervention de Squire qui s'était mise à crier derrière nous. Affolée, je courus à toutes jambes jusque derrière les rochers, où je tombai à genoux, hors d'haleine.

Personne ne parla tandis que nous reprenions notre souffle, ce qui rendait les cris de Squire encore plus terrifiants. Comme les autres, j'espérais qu'elle était simplement heureuse de nous voir arrivés à destination, ou qu'elle avait aperçu une autre buse et qu'elles se signalaient mutuellement leur présence.

Les rochers n'offraient pas autant de protection que nous l'avions escompté et il allait falloir nous asseoir ou nous coucher sur le sol pour éviter d'être vus du sommet de la colline. La situation se compliqua encore plus lorsque nous découvrîmes que deux des rochers reposaient l'un à côté de l'autre et qu'un autre était seul un mètre plus loin, à gauche. Chacun d'eux était suffisamment gros pour dissimuler un ou d'eux d'entre nous, mais pas plus. Odessa s'était arrêtée devant le rocher isolé. Le reste d'entre nous étions accroupis, ensemble, derrière les deux autres rochers, qui étaient à peine assez gros pour nous cacher tous. Murphy franchit à toute vitesse le mètre qui nous séparait de l'autre rocher, bondissant sur le dos d'Odessa.

— Elle a cessé de crier, chuchotai-je.

Je me rendis compte qu'il était inutile de parler tout bas puisque nous étions de nouveau au cœur des Collines interdites. Je continuai d'une voix normale :

— Murphy, grimpe sur le rocher et dis-nous ce que tu vois.

Il s'exécuta, trottinant nerveusement d'un côté à l'autre sur la grosse pierre plate.

— Arrête de t'agiter comme ça, l'avertit Yipes. Tu vas attirer leur attention.

— Je ne vois rien qui bouge sur la colline. Tout est parfaitement calme, déclara Murphy.

Puis il sauta de nouveau sur le dos d'Odessa.

Yipes, John et moi nous levâmes lentement jusqu'à ce

que nous puissions jeter un coup d'œil vers la colline par-dessus les rochers. C'était vrai : il n'y avait personne au sommet de la colline. Nous laissâmes échapper un soupir de soulagement.

Momentanément détendus, nous levâmes un peu plus la tête. Au même instant, Squire se posa directement devant nous, battant de ses ailes imposantes pour s'immobiliser. Nous fûmes si surpris tous les trois que nous tombâmes à la renverse, atterrissant sur les coudes.

— La prochaine fois, préviens-nous avant d'arriver, fulmina Yipes, s'apprêtant à se relever pour épousseter ses habits.

— Attends! m'exclamai-je.

Je me tournai vers Murphy et lui demandai de sauter encore une fois sur le rocher pour jeter un coup d'œil. Squire s'envola en quelques coups d'ailes si puissants que la poussière se souleva autour des rochers. Nous attendions, toujours sur le dos.

— Ne bougez pas, nous prévint Murphy. Trois géants se tiennent au sommet de la colline, avec chacun une lorgnette pointée vers nous.

La sueur coulant le long de ma tempe, je transmis cette information aux autres à voix basse. Je demeurai parfaitement immobile et bien cachée comme mes compagnons.

Murphy descendit du rocher d'un bond et partit en courant, mais je ne pouvais pas voir dans quelle direction. Les secondes devinrent des minutes.

— J'ai peur, dis-je tout haut.

J'avais l'impression que j'allais me mettre à pleurer, la situation devenant rapidement plus que je ne pouvais supporter. Je glissai une mèche de cheveux dans ma bouche et la mâchonnai, une mauvaise habitude à laquelle je n'avais pas succombé depuis longtemps. John me prit la main et frotta mes doigts. Son pouce était incroyablement abîmé et rude, mais cela accentuait son côté protecteur et puissant, comme s'il avait vu bien pire et avait survécu.

— Ils sont partis, nous informa Murphy, qui était de nouveau perché sur le rocher. Le sommet de la colline est désert et Squire a repris sa surveillance dans le ciel.

— Notre compagne ailée est devenue fort utile, semble-t-il, dit John.

J'écartai la mèche de cheveux que j'avais dans la bouche et lâchai la main de John afin de pouvoir m'asseoir plus facilement. Nous nous rassemblâmes ensuite derrière les deux rochers et sortîmes en silence le peu de nourriture et d'eau qu'il nous restait.

Nous demeurâmes assis là jusqu'au coucher du soleil. Peu de temps après, tout devint noir et silencieux. La nuit tombait sur les Collines interdites, et nous n'avions plus de nourriture, plus d'eau et plus d'abri.

CHAPITRE 13
UN REBONDISSEMENT INATTENDU

Les lumières se déplaçaient rapidement sur le versant de la colline, mais elles ne vacillaient pas et ne sautillaient pas comme elles l'auraient fait si des hommes avaient couru avec des torches. C'étaient des géants, et ils marchaient tout simplement vers nous. Je songeais, avec frayeur, combien il serait facile pour eux de nous rattraper à pied, s'ils le voulaient. Odessa se mit à grogner sourdement tandis que nous fixions les torches qui continuaient leur descente.

— Essaie de rester calme, Odessa, murmura Yipes. Tu vas trahir notre présence.

John et lui avaient, tous les deux, placé une flèche dans leur arc pour tenter de nous protéger. Nous étions venus avec très peu d'armes : quelques petits couteaux et deux arcs constituaient notre seule défense.

Une conversation précipitée s'engagea. Allions-nous rester cachés derrière les rochers? Allions-nous courir dans les Collines interdites où nous ne pouvions compter sur aucune protection, en espérant que les géants allaient rebrousser chemin? Pendant ce temps, les lumières se rapprochaient, réduisant la distance entre nous.

— Je la sens de nouveau, dit John, la même présence que j'ai sentie toute la journée.

— Ce n'est pas surpenant, répliqua Yipes. Les géants sont juste là, devant nous.

Pendant qu'ils parlaient, je constatai que Murphy avait disparu encore une fois. S'était-il précipité là-bas pour mordre les mollets de ces terribles créatures? Les géants avaient atteint le bas de la colline et marchaient dans l'étendue qui nous séparait, Murphy était introuvable et nous n'avions nulle part où nous cacher. Je soufflai le nom de Murphy et, n'obtenant pas de réponse, je commençai à paniquer. Odessa poussa un grognement sourd, à peine audible. Nous nous regardions tous, découragés, et un net sentiment de désespoir flottait dans l'air.

— Pas de bruit, chuchota John.

Odessa cessa de grogner et on n'entendit plus que nos respirations. Puis je perçus le trottinement de petites pattes et, soudain, Murphy était de retour, criant de façon incohérente de sa voix aiguë, très excité et incapable de se maîtriser.

— Calme-toi, murmura Yipes. Tu ne vois donc pas que les géants viennent vers nous?

Murphy fit de gros efforts pour se dominer et réussit enfin à prononcer quelques mots simples.

— N'ayez pas peur. Restez tranquilles.

D'étranges paroles, surtout venant de lui qui était si agité qu'il pouvait à peine se maîtriser assez longtemps pour articuler une courte phrase. Notre perplexité ne fit qu'augmenter lorsqu'il détala dans les Collines interdites, fuyant les géants qui s'approchaient. Nous le perdîmes de vue encore une fois.

— Il a fini par devenir complètement fou, dit Yipes en secouant la tête. Je suppose que ce n'était qu'une question de temps.

Il continua à préparer son arc et à surveiller les torches au loin.

Odessa se retourna et grogna dans la direction prise par Murphy, qui jaillit soudain de l'obscurité, son petit corps, une ombre informe glissant sur le sol.

J'éprouvai alors une sensation qui n'était pas tout à fait tactile ni auditive, mais plutôt un mélange des deux. Je scrutai les ténèbres et m'appuyai contre les rochers, la sensation devenant plus terrifiante et réelle à mesure que les secondes passaient. C'est alors que je vis surgir de l'obscurité une immense masse sans forme. Un géant apparut dans la nuit et, avant que nous ayons pu songer à nous enfuir, il se dressa devant nous, un peu comme les murs de Bridewell par le passé. Il était gigantesque; sa stature colossale dépassait l'entendement. Il portait une épée à sa ceinture.

— Les flèches ne vous serviront à rien, déclara-t-il. Vous devriez les ranger.

Sa voix était étonnamment rassurante et posée; ce n'était pas un jeune géant, au contraire. Son visage était difficile à distinguer dans le noir.

— Armon? demanda John. Est-ce possible?

— En personne, répondit le géant. Venu vous sauver en ces heures difficiles, selon les instructions de Warvold.

Il y avait très peu de lumière, mais la lune se levait et les étoiles brillaient de plus en plus. Je commençai à discerner le visage du géant, qui était exactement comme je l'avais espéré : plein de sagesse et de bonté; vieux, sans être archaïque; solide, mais avenant.

— Rassemblez vos affaires le plus silencieusement possible, nous dit-il. Ils ont placé les rochers ici exprès. Comme vous le voyez, c'est le seul endroit où se cacher, et c'est ici, comme d'habitude, qu'ils chercheront les intrus.

Armon se pencha et ramassa nos outres vides, qui paraissaient extraordinairement petites sur son épaule. Un grand sac en cuir faisant près d'un mètre de large et deux de long pendait à son autre épaule. Je me demandais ce qu'il pouvait y avoir à l'intérieur.

Yipes s'approcha d'Armon et se tint à ses pieds, ébahi. Puis il se tourna vers John et déclara :

— Maintenant, tu sais comment je me sens.

Tendant le bras, il toucha le genou du géant.

— Éloignez-vous des rochers, dit alors le géant.

Nous obéîmes tous sans hésitation.

Il souleva les immenses pierres l'une après l'autre, la plus grosse étant presque aussi volumineuse que mon bureau à la maison, et les déposa plus près de la colline en quatre pas de géants. Il procéda avec beaucoup de précaution et de rapidité, replaçant les rochers selon la même disposition qu'auparavant et effaçant ses traces après chaque déplacement. Nullement essoufflé après un tel effort, il se planta devant nous et indiqua les Collines interdites du doigt, dans la direction opposée à celle des lumières qui approchaient.

— Courez, mais sans faire de bruit, dit-il.

Armon marchait lentement derrière nous, effaçant nos traces du mieux qu'il le pouvait à mesure que nous avancions. Un moment plus tard, il nous demanda de nous arrêter, de nous agenouiller et de garder le silence.

— Ils sont arrivés aux rochers, chuchota-t-il.

Les torches s'étaient divisées en trois, une pour chacun des amoncellements de rochers que nous avions vus plus tôt ce jour-là. Nous prêtâmes une attention particulière aux rochers derrière lesquels nous nous étions cachés, tandis que la lumière dansait sur le sol, s'élevait dans les airs, puis reprenait le chemin de la colline. Nous vîmes les trois torches se rejoindre et s'éloigner dans la nuit.

Armon s'agenouilla devant moi, son remarquable visage suffisamment près maintenant pour que je puisse le voir clairement; il était ridé mais pourtant, sans âge. Il n'y avait aucune trace de barbe ni de poil sur sa peau; elle était propre et parfaite. Ses cheveux noirs tombaient en vagues sur ses oreilles et ses épaules.

— Tu dois être Alexa, dit-il.

Il toucha ma joue de ses doigts, chacun étant aussi épais que cinq de mes propres doigts et au moins deux fois plus longs. J'éprouvai une vive émotion; sa présence parmi nous nous donnait l'impression d'évoluer dans un conte de fées, car il incarnait l'espoir dans une situation désespérée. Était-il possible qu'Élyon fût parmi nous? Si c'était le cas, Armon était le plus cadeau qu'il pût nous offrir. Au contact d'Armon, ma peur s'évanouit. Le puissant géant était venu nous protéger. C'était le seul géant parmi tous les autres qui était lié avec Élyon et donc, avec nous.

Il se releva sans rien ajouter et observa les étoiles pour s'orienter.

— J'ai préparé un endroit où nous pourrons nous reposer, dit-il enfin. Ce n'est pas loin d'ici.

— Comment c'est, là-haut? demanda Yipes qui se tenait de nouveau aux pieds du géant.

Il semblait tout simplement fasciné par Armon, comme si leurs statures opposées les rapprochaient, en quelque sorte. Armon entoura la taille de Yipes d'une main et le souleva à trois mètres du sol dans le ciel obscur, puis le regarda droit dans les yeux.

— J'ai entendu parler de toi, dit Armon.

— Ça ne m'étonne pas, répliqua Yipes, dont les petites jambes pendaient au-dessus du sol.

Armon reposa Yipes par terre et se mit à marcher parallèlement à la grande colline. Murphy grimpa d'un bond sur la jambe du géant, remonta le long de son corps et s'assit sur son épaule. Armon ne lui prêta guère attention si ce n'est qu'il lui tapota doucement la tête à deux reprises avec son gros doigt.

— La dernière des pierres, murmura-t-il, comme s'il lisait un texte ancien. J'avais une autre pierre il y a longtemps, mais elle a perdu ses pouvoirs avec le temps. Je ne perçois que des cris aigus lorsque l'écureuil ouvre la bouche, mais je crois comprendre que tu en entends bien davantage.

Il se tourna alors vers moi et, malgré l'obscurité, je pouvais voir qu'il souriait.

Armon ralentit et plaça sa main sur John, lui couvrant

entièrement le dos avec sa paume, et ses doigts se refermèrent sur le bras de John, de l'autre côté.

— Warvold a dit beaucoup de bien de toi, déclara le géant, qui regardait droit devant lui en marchant. De toi, de Yipes et d'Alexa. Il lui arrivait de ne parler que de vous trois pendant des jours et des jours.

Armon baissa les yeux vers John.

— Il était d'avis que, derrière ton visage balafré se cachait une sagesse inestimable.

John posa sa main sur l'énorme avant-bras d'Armon et serra le peu qu'il réussit à entourer de ses doigts.

— Je suis ravi de t'avoir parmi nous, lui confia John. Étant donné la manière dont se dévoile l'histoire de Warvold depuis quelques jours, j'espérais recevoir de l'aide. Ceci est au-delà de tout ce que j'aurais pu espérer.

Pendant qu'ils parlaient, un millier de questions me traversaient l'esprit. Je commençais à avoir du mal à les garder pour moi.

— Que sont devenues Catherine et Laura? demandai-je.

Armon jeta un coup d'œil à Yipes et constata qu'il avait de la difficulté à nous suivre. Nous marchions tous plus rapidement que d'habitude et, même si Yipes était énergique, il n'en demeurait pas moins que ses jambes étaient minuscules en comparaison de celles d'Armon. Ce dernier retira la main qu'il avait posée sur le dos de John, souleva Yipes et le déposa sur son épaule, ce qui plaçait notre ami à quelque trois mètres et demi dans les airs.

— Très gentil de ta part, dit Yipes tandis que Murphy grimpait encore plus haut et s'assoyait sur l'épaule de Yipes.

Murphy sur Yipes, Yipes sur Armon : d'où je me tenais tout en bas, on aurait dit un numéro de cirque, et cela ne faisait qu'accentuer le caractère unique du groupe que nous formions. Je voyais de moins en moins nos faiblesses et de plus en plus nos forces. Les événements de la journée nous rappelaient que chacun d'entre nous avait des talents que les autres n'avaient pas. C'était comme si nous représentions tous une partie d'un corps : l'un était les mains, l'autre, les jambes et ainsi de suite. Nous dépendions les uns des autres et obtenions les meilleurs résultats en travaillant de concert. J'eus alors l'impression de ne pas être à la hauteur, ne sachant trop quelle partie du corps je pouvais bien être.

— Il ne nous reste plus qu'une heure de marche, déclara Armon. Ensuite, nous nous reposerons et discuterons de la façon de conquérir la vallée des Épines. Je vous préviens que nous n'aurons que peu de temps pour dormir, quelques heures tout au plus. Nous devrons nous lever avant l'aube et mettre les choses en branle.

Il regarda mon visage suppliant et vit à quel point je tenais à entendre parler de Catherine et Laura.

— Nous aurons amplement le temps d'élaborer notre plan quand je t'aurai raconté ce qu'il est advenu des filles, dit-il.

Puis il raconta ce que Warvold n'avait jamais divulgué. Une brise soufflait sur nos visages tandis que nous marchions.

CHAPITRE 14

LE RESTE DE L'HISTOIRE

Tout changea pour moi dans l'heure qui suivit. Armon parlait avec une incroyable assurance, de sorte que toutes les pièces du casse-tête s'ordonnaient subtilement. Je ne pensais plus aux choses effrayantes qui nous attendaient : Victor Grindall et toute sa lignée, les torches que j'avais vues sur la colline, les chiens sauvages du dépotoir de Castalia. Durant cette heure, la présence dominante d'Armon était tout ce qui pouvait m'atteindre.

— Peu de temps après l'arrivée de Catherine et Laura dans la tour à horloge, nous nous sommes rendu compte que nous devions quitter la région de toute urgence, commença-t-il. Nous devions partir loin, là où l'on ne pourrait pas nous retrouver. Nous devions emporter les pierres et les protéger de Grindall et des forces maléfiques qui le guidaient.

Il poursuivit :

— Grindall avait déjà envoyé ses hommes et ses géants à mes trousses pour récupérer les pierres. Leurs recherches auraient tôt fait de les mener à la cité des Chiens, et notre cachette serait alors découverte.

Murphy quitta son perchoir sur l'épaule de Yipes et descendit vers le sol. Puis il fit deux pas rapides et bondit dans mes bras; je le gardai contre ma poitrine, contente de l'avoir près de moi.

— Deux jours après l'arrivée de Catherine et Laura dans la tour à horloge, au plus noir d'une nuit sans lune, nous nous sommes aventurés dehors. Nous avons rencontré l'une des meutes de chiens sauvages, une vingtaine de bêtes ou un peu plus, et j'ai hissé les filles très haut sur mon dos pour qu'elles soient hors de danger.

Armon posa sa main sur la poignée de son épée, une arme qui faisait plus de deux mètres et dont l'extrémité pendait à ses chevilles dans son étui.

— Mon épée nous a été très utile cette nuit-là, continua-t-il. La première meute de chiens a battu en retraite, mais d'autres se sont approchés alors que nous traversions la vieille ville et ses tas de débris. Cette nuit-là, nous avons compté plus de 100 chiens, certains en meutes de 30, d'autres en groupes de 5, tous ravagés par la maladie et la rage. Une seule morsure de l'une de ces bêtes aurait sûrement entraîné la maladie, la rage ou même la mort.

Il marqua une pause avant de poursuivre son récit :

— Aux limites de la cité des Chiens se trouve une grande forêt qui s'étend sur plusieurs kilomètres, le long de la rive ouest du lac. Au moment où nous fuyions, la forêt grouillait de géants et d'hommes lancés à ma recherche. Mais Grindall a commis une grave erreur car, à cette époque, les géants étaient à la fois au service de Grindall et de leur propre espèce. Deux hommes nous ont vus dans la forêt. Ils ont soufflé dans leur corne, et trois géants ont répondu à l'appel. Les géants ont attrapé les hommes et les ont projetés contre un arbre, leur fracassant la cervelle du même coup.

— Cette histoire est de plus en plus intéressante, dit Yipes.

Il baissa les yeux vers moi et sourit, faisant disparaître ses lèvres sous sa moustache.

— J'ai parlé aux trois géants, poursuivit Armon. Il a été convenu qu'ils nous feraient sortir de Castalia et que les filles et moi parcourrions les vastes étendues de la contrée d'Élyon à la recherche d'un nouvel endroit où nous installer. De plus, nous allions garder les pierres qui restaient et les protéger. Ils nous ont conduits à la vallée des Épines, un endroit où ne vivent que des géants qui ont accepté, à leur tour, de nous aider à fuir. Nous nous sommes aventurés par-dessus la haute colline sans avoir la moindre idée de l'endroit où notre périple s'achèverait.

Il s'interrompit quelques secondes, le temps de jeter un coup d'œil autour de lui, puis il continua :

— Nous n'avions ni nourriture ni eau et très peu de temps pour nous échapper. J'ai donc pris les filles sur mon dos encore une fois et couru pendant toute la nuit dans les Collines interdites. Au matin, j'ai dormi durant une heure avant de reprendre la route jusqu'à la tombée de la nuit. Au bout de deux jours, nous nous tenions au pied du mont Norwood, un endroit où nous allions vivre pendant de nombreuses années.

— Vous habitiez dans la montagne près de Lathbury? demandai-je, stupéfaite d'apprendre qu'ils s'étaient installés si près de chez moi.

— C'est bien ça, répondit Armon.

Je réalisai alors qu'au cours de mon premier périple avec Yipes en dehors des murs de Bridewell, j'étais peut-être passée devant plusieurs endroits où Armon était allé aussi.

— Nous avons escaladé la montagne luxuriante et nous nous sommes construit un abri, d'où nous observions les alentours et où nous attendions. Par temps très clair, nous pouvions voir, au-delà des Collines interdites, la silhouette de l'autre haute montagne située à l'est de Castalia.

C'était du mont Laythen qu'il parlait, beaucoup plus élevé et plus large que le mont Norwood; les comparer, c'était un peu comme comparer Armon à Yipes. Le mont Laythen était le plus haut sommet de la contrée d'Élyon et sa base faisait un peu plus de 80 kilomètres de diamètre. Armon continua :

— Catherine est devenue très fascinée par toutes les pierres qui restaient, plus particulièrement celle qu'elle avait prise pour elle. Le désir de protéger cette pierre l'obsédait et elle voulait aussi en apprendre plus au sujet des autres. Bientôt, profitant de leur pouvoir, elle s'est liée d'amitié avec toutes sortes d'animaux sauvages, dont un superbe puma. Jusqu'alors, Catherine avait refusé de montrer les pierres qui restaient à ses amis animaux, mais le puma avait quelque chose de différent, et elle a décidé de le mener là où les pierres étaient cachées. Ensemble, ils ont examiné les 20 pierres restantes; le puma a remarqué des détails que Catherine n'avait pas vus. Certaines des pierres étaient différentes : une inscription en langue ancienne y avait été gravée. Avec l'aide du puma, Catherine a trié les pierres et découvert que six d'entre elles seulement portaient cette marque spéciale. Elle a emporté les 14 qui n'avaient pas d'inscription et les a déposés au bord d'un petit bassin, au pied de la montagne, pour qui les trouverait. Elle a placé les six autres parmi des pierres ordinaires dans une mare secrète, au sommet du mont Norwood, attendant que quelqu'un les trouve par hasard, tel que le souhaitait Élyon.

Armon poursuivit :

— Catherine et le puma ont passé beaucoup de temps ensemble. Le félin a expliqué à Catherine tout ce qu'il avait vu dans les pierres, à quoi ressemblait la langue ancienne et comment il arrivait à comprendre ce qui était écrit. Se servant de ces connaissances, Catherine a pris l'habitude de graver, sur des objets qu'elle trouvait, des motifs dans lesquels étaient camouflés des messages et des dessins. Avec le temps, elle allait apprendre à le faire sur des objets de plus en plus petits en utilisant des outils complexes, jusqu'au jour où, beaucoup plus tard, elle est parvenu à graver de minuscules objets, par exemple une pierre dont pourrait être serti le collier d'un simple chat de bibliothèque. Elle les appelait des jocastes.

— C'est impossible, dis-je.

— Catherine était donc Renny Warvold, dit John, non pas sur le ton de quelqu'un qui le savait depuis le début, mais comme quelqu'un qui venait tout juste de l'apprendre, en même temps que moi.

Armon nous considéra tous les deux avec bienveillance et hocha lentement la tête, une étrange et triste lueur d'espoir dans les yeux.

— Quelque temps après qu'elle a gravé les mots d'Élyon

sur chacune des six pierres, un jeune aventurier, qui voyageait depuis de nombreuses années, s'est arrêté sur le mont Norwood pour s'y reposer. Il avait exploré la contrée jusqu'aux falaises les plus éloignées, au-delà d'Ainsworth au nord, et jusque dans les hauteurs du mont Laythen, d'où il avait pu se rendre compte des malheurs de Castalia. Il avait traversé les Collines interdites, les forêts magnifiques et même la tanière hantée du champ des Chimères. Il avait visité chacune des deux villes le long des falaises du nord ainsi que celle située à l'ouest. Au cours de tous ses voyages, il n'avait jamais trouvé d'endroit plus paisible et joyeux que le mont Norwood. Il y est donc revenu alors que Catherine, Laura et moi y habitions depuis une douzaine d'années.

— Thomas Warvold, soufflai-je.

Les pièces du casse-tête s'ordonnaient maintenant.

— Tel qu'Élyon l'avait voulu, le jeune Warvold a trouvé la mare contenant les jocastes, convaincu qu'il avait découvert le plus fabuleux trésor de la contrée d'Élyon. Les filles étaient devenues de jeunes femmes, et c'est avec elles que j'ai rencontré Warvold pour la première fois au bord de la mare. Warvold avait déjà aperçu des géants auparavant, mais j'étais très différent de tous les autres. Ayant souvent vu toutes sortes de choses bizarres, il n'a pas été aussi surpris qu'on aurait pu le croire. Très rapidement, nous sommes devenus amis, tous les quatre. Nous avons offert une jocaste à Warvold et avons passé quelque temps en sa compagnie dans le cadre enchanteur du mont Norwood.

Armon fit une pause et reprit :

— Comme vous l'avez peut-être deviné, Warvold et

Catherine sont tombés amoureux l'un de l'autre et, peu après, ils en ont eu assez de vivre ainsi isolés dans les montagnes. Warvold a décidé qu'il irait à Ainsworth afin d'y trouver des gens qui pourraient être intéressés à bâtir un nouveau royaume au-delà du Grand Ravin. Il rêvait d'une cité complètement entourée de murs, qui offrirait une protection contre les dangers venus des contrées sauvages. Ils ont aussi décidé qu'avant d'accompagner Warvold, Catherine prendrait un nouveau prénom, celui de Renny, au cas où quelqu'un dans les terres habitées aurait entendu parler d'elle et de la légende d'Armon.

J'étais abasourdie par tout ce que Renny avait vécu. Je tentai désespérément de me souvenir d'elle, mais je n'avais été qu'une toute petite fille quand elle était morte et je n'arrivais pas à faire jaillir une image qui me l'aurait rappelée. Je savais seulement qu'elle me manquait plus qu'elle n'aurait dû. J'aurais tant voulu qu'elle soit encore en vie.

— Au cours des années qui ont suivi, Lunenburg a été créée, Renny a donné naissance à Nicolas et le royaume de Bridewell a vu le jour dans la contrée d'Élyon.

Armon s'interrompit et s'agenouilla pour que je puisse mieux voir son expression.

— Peu de temps après que les murs ont été construits, j'ai commencé à sentir une présence sombre et hostile provenant de la terre lointaine de Castalia. Je m'y suis donc rendu... ou plutôt, j'y suis venu, devrais-je dire, puisque c'est l'endroit où nous nous trouvons maintenant. Au plus profond de la nuit, je me suis faufilé jusqu'au sommet de la colline. Ce que j'ai vu, je dois malheureusement vous en faire part maintenant.

Il nous fit signe de nous approcher.

— Depuis le tout début, des histoires circulent parmi les géants; des histoires sacrées, dont beaucoup sont devenus plus fables que réalité depuis que le côté humain en nous a pris le dessus. Le lieu où nous vivions auparavant, la Dixième Cité, a été oublié au fil du temps.

Armon s'arrêta, évoquant le passé dans sa tête. Il semblait se demander ce qu'il devait dire ou ne pas dire.

— Les humains sont une race qui oublie et qui doute, continua-t-il. Il est difficile pour eux de se rappeler les choses d'un lointain passé et il en est de même pour ma propre race en ce dixième règne des Grindall : nos souvenirs de la Dixième Cité s'estompent.

Armon se tut encore une fois et regarda la grande colline, guettant des signes de vie au clair de lune. Puis il se tourna de nouveau vers nous et poursuivit, la tête baissée :

— Est-ce que vous avez entendu parler des chauves-souris? demanda-t-il.

Il fut surpris d'apprendre que non seulement nous en avions entendu parler, mais que nous les avions même rencontrées dans les Collines interdites. Cela parut l'inquiéter.

— Où les avez-vous vues? Près d'ici?

— Non, répondit Yipes d'un ton rassurant. C'était à plusieurs kilomètres d'ici, plus près de Bridewell en fait.

Armon semblait écouter très attentivement, toujours agité.

— Il ne faut pas qu'elles me voient, jamais, dit-il.

Et il nous expliqua pourquoi.

— Il existe un essaim d'un millier de chauves-souris, envoyé par Abaddon de là où il se terre. Ces chauves-souris n'ont qu'un but : donner des coups de bec sur la tête des géants pour leur transmettre la volonté d'Abaddon. Imaginez un géant de ma taille, le crâne dégarni, mis à part quelques touffes et mèches poussant curieusement à la base du crâne et sur les oreilles. Imaginez sa tête et son visage ravagés par les escarres et les plaies béantes qui ne s'assèchent jamais, les dents qui manquent, qui noircissent ou qui sont pourries. Une créature hideuse, défigurée qui répond à la volonté d'Abaddon.

Armon se leva alors, se dressant devant nous.

— C'est ce qui arrive aux géants qui sont repérés par l'essaim de chauves-souris.

Il ferma les yeux, laissant les mots faire leur effet. J'avais le sentiment que son récit allait devenir encore plus terrifiant.

— Je suis le dernier de ma race. Les autres ont déjà été trouvés par l'essaim, dit-il en rouvrant les yeux. Ceux qui habitent de l'autre côté de la grande colline ne sont pas de mon espèce. Il s'agit plutôt de la pire malédiction qui soit dans la contrée d'Élyon : 98 monstres gargantuesques investis d'une seule mission, celle de nous détruire afin qu'Élyon ne puisse jamais revenir.

— L'essaim les a tous attrapés, sauf un? demanda John.

Sa question préoccupante resta en suspens jusqu'au moment où Armon, scrutant les Collines interdites, prit de nouveau la parole.

— Elles se déplacent la nuit, me cherchant sans relâche, espérant me trouver et m'infecter comme elles l'ont fait pour les autres.

Il nous considéra alors avec une lueur d'espoir.

— Nous devons remporter la bataille avant que les chauves-souris m'attrapent.

Il se remit à marcher dans le noir, et je me surpris à courir pour rester près de lui et trouver du réconfort dans sa présence. Je fus heureuse de l'entendre parler de nouveau, sa voix paisible chassant mes visions de bêtes redoutables.

— Il y a une bonne nouvelle parmi toutes les mauvaises, dit-il. Je n'ai pas tout à fait terminé mon histoire. Les géants infectés ne sont pas plus puissants qu'ils l'étaient avant et, bien que vigoureux, ils peuvent être vaincus si l'on sait comment s'y prendre. De plus, et c'est autrement plus important, le fait de tuer tous les géants détruirait l'immense armée d'Abaddon et en ferait une créature vulnérable, furieuse et imprudente.

— Mais ils sont 98! m'écriai-je.

— C'est vrai qu'il s'agit d'une tâche difficile, admit Armon. Mais tu ne dois jamais oublier qu'Élyon, aussi mystérieux soit-il dans sa façon de faire les choses et même si nous ne le comprenons pas, est de notre côté. Le créateur de l'humain et du séraphe nous a choisis, et je peux seulement espérer que, dans son extrême sagesse, il nous montrera comment vaincre contre toute attente.

Nous marchions depuis un bon moment. Armon regarda autour de lui dans toutes les directions.

— Cet endroit fera l'affaire, dit-il. J'ai apporté de la nourriture et de l'eau. Posez vos affaires et mangez si vous avez faim. Vous n'aurez que peu de temps pour dormir.

Nous étions toujours à découvert et la grande colline s'étendait devant nous.

— Est-ce que ce n'est pas un peu trop exposé? demanda Odessa, et je transmis sa question à Armon.

— J'ai bien peur qu'il n'y ait pas d'autre endroit. Je monterai la garde, mais je ne m'attends pas à voir qui que ce soit ici.

Je déposai mon petit sac sur le sol croûteux et pris une poignée de noix et de baies dans les provisions qu'Armon avait préparées.

— Si vous n'êtes pas trop fatigués, j'aimerais vous raconter la fin de l'histoire ajouta-t-il. Je crois que ça pourrait vous motiver au cours des prochains jours.

S'assoyant parmi nous, Armon se concentra avant de nous parler une dernière fois des événements du passé. Pendant qu'il songeait à ce qu'il allait dire, j'observai la voûte céleste avec ses innombrables étoiles et sa lune, et je m'interrogeai sur l'univers et tout ce qui avait été créé, me demandant pourquoi les étoiles et la lune s'illuminaient la nuit et le soleil brillait le jour, à quel point l'univers était vaste, comment je pourrais jamais saisir sa grandeur infinie.

Odessa me choisissait rarement quand venait le temps de se reposer, mais, ce soir-là, elle s'allongea contre moi, sa tête à côté de la mienne. Murphy bondit sur son dos et fit son lit dans la douce fourrure grise. Tous les trois, nous nous réconfortions mutuellement.

— Le dixième règne des Grindall a été inauguré peu de temps après mon départ de Castalia, commença Armon. Je connais ce prince des ténèbres, Victor Grindall X. Des supercheries et des meurtres lui ont permis de s'installer sur le trône et, une fois là, il a immédiatement concentré tous ses efforts sur la recherche des pierres qui restaient. Pourtant, il n'est pas parvenu à les retrouver, au grand déplaisir d'Abaddon. Grindall a donc envoyé des géants au-delà des Collines interdites pour retrouver les pierres, dans des endroits où ils n'avaient jamais cherché auparavant.

Il s'interrompit quelques secondes, puis poursuivit :

— Les géants n'ont pas mis longtemps à atteindre le mur de Bridewell. Pervis Kotcher, le garde en chef, a été le premier à les apercevoir de sa tour, à la porte de Lunenburg. Il savait que ce moment allait peut-être venir, car Thomas et Renny l'avaient prévenu que, si jamais des géants étaient repérés dans les Collines interdites, Pervis devait garder le secret et faire descendre tous les gardes des tours. Si d'autres gardes les apercevaient, Pervis devait les réunir et les conduire à Warvold, mais le reste du royaume devait continuer à ignorer le terrible danger de l'autre côté du mur.

Il continua :

— Renny est la première personne que Pervis a trouvée lorsqu'il est parti à la recherche d'un des Warvold à Renny Lodge; quand il lui a dit que des géants approchaient, Renny l'a chargé de trouver Thomas. Puis, sans tarder, elle s'est précipitée à la bibliothèque et est entrée dans le tunnel secret qui mène sous la cité et dans les montagnes.

Armon s'appuya sur ses mains puissantes posées derrière

lui tandis que nous étions assis devant lui, les yeux agrandis par la curiosité.

— Dans le tunnel, il y a une porte secrète qui s'ouvre sur un raccourci dans les Collines interdites. Renny a ouvert cette porte et, peu de temps après, les géants ont atteint le mur. Elle se tenait seule et sans protection parmi eux.

— Pourquoi, Armon? Pourquoi a-t-elle fait une chose pareille? demandai-je.

— Elle croyait, avec raison, qu'elle apaiserait peut-être les géants en se rendant. Le fait d'avoir capturé celle qui avait pris les pierres serait peut-être suffisant pour inciter les géants à retourner à la Tour obscure. Ce serait certainement une prise remarquable. Ainsi, Renny a offert de les suivre, répétant qu'elle ne révélerait ce qu'elle savait qu'à Victor Grindall lui-même.

« À peu près au même moment, Warvold et Pervis sont arrivés à la tour de Lunenburg. Les géants, qui – d'après ce que Warvold dirait plus tard – étaient déjà possédés par Abaddon, étaient suffisamment forts pour démolir le mur s'ils le désiraient. Mais ils ne voulaient que les pierres qui restaient et c'est ce qu'ils ont exigé de Warvold. Les pierres devaient leur être remises, ou Bridewell serait complètement envahie et tout le royaume serait détruit.

« Bridewell ne possédait pas d'armes très modernes et comptait presque uniquement sur des archers pour sa défense. Les géants transportaient deux choses qui inquiétaient grandement Warvold : de grands boucliers en métal et des sacs remplis de pierres de la grosseur d'une pastèque qu'ils pouvaient lancer, il n'en doutait pas un instant, avec une grande précision. Les têtes hideuses des géants, dégoulinantes de sueur et ravagées par des plaies béantes, les boucliers conjugués aux imposantes armures noires : ces choses conspiraient contre Warvold et les armes qu'il possédait. Les géants étaient des créatures énormes, bien armées et adéquatement protégées. Une centaine de ces créatures anéantiraient tout le monde à Bridewell et se dirigeraient ensuite vers Turlock et Lathbury.

Armon jeta un regard vers Yipes, qui était assis bien droit, les yeux écarquillés de façon comique, totalement captivé par le récit. Comme bon nombre d'entre nous de la communauté de Bridewell, notre petit compagnon adorait tout simplement entendre une bonne histoire. Je n'étais pas certaine qu'il saisissait parfaitement que nous en faisions partie et que les dangers se précisaient davantage chaque fois qu'Armon ouvrait la bouche.

— Thomas a su reconnaître l'importance du moment, poursuivit Armon. Ce fut un point tournant dans la bataille qui allait déterminer quelles forces, celles du bien ou celles du mal, contrôleraient la contrée d'Élyon. Mais le prix à payer était plus élevé qu'il ne l'avait imaginé. Il aurait volontiers donné sa propre vie, mais il ne voulait pas sacrifier l'un des siens ou son épouse bien-aimée. Il savait où les six pierres étaient cachées dans la mare secrète du mont Norwood. Il aurait pu y conduire ces ignobles créatures, qui seraient ensuite reparties dans les Collines interdites. Mais quel mal envahirait alors la contrée et, s'il dévoilait le secret, combien de temps s'écoulerait avant qu'une force encore plus maléfique revienne et franchisse les murs?

« Warvold a choisi de ne rien révéler de ce qu'il savait et, en ce jour fatidique, Catherine lui a été enlevée. On a informé Warvold que, si Catherine ne disait pas où étaient cachées les jocastes, elle serait enfermée au plus profond de la Tour obscure, à Castalia, jusqu'à ce que les pierres restantes soient trouvées et rendues pour payer sa rançon.

« Je ne sais pas ce que Catherine leur a dit ni comment elle a tenu les géants éloignés de Bridewell au cours des dix dernières années. Peut-être qu'elle les a envoyés faire des recherches dans la cité des Chiens ou dans les ruisseaux du mont Laythen. Mais une chose est sûre : elle est encore parmi nous. Catherine, la femme que vous connaissez sous le nom de Renny, est en vie, emprisonnée dans le cachot de la tour, de l'autre côté du lac.

2

CHAPÎTRE 15

LE FEU ET LA PLUÎE

— Réveille-toi, Alexa. Le feu est déjà allumé.

Il faisait noir et froid, et je frissonnai en me réveillant, tout endolorie après une autre nuit de sommeil écourtée sur le sol des Collines interdites. Tous les autres étaient déjà éveillés ou debout, regardant de l'autre côté de la vallée où une lueur orangée ondulait le long du sommet des collines. Ce n'était pas le lever du soleil à l'horizon, mais plutôt quelque chose de plus près encore et de plus dangereux.

— Qu'est-ce qui se passe? demandai-je.

Je me levai en frottant mes yeux endormis et sentis la dureté du sol sous mes pieds délicats. Je me penchai pour gratter les gales sur mes tibias, qui continuaient à me faire souffrir. C'était encore la nuit ou alors très tôt le matin; tout était noir, à part le feu sur la colline et les étoiles dans le ciel.

— Armon a été très occupé pendant que nous dormions, répondit Yipes qui baillait et s'étirait.

Je rejoignis les autres et contemplai la colline.

— Le vent descend de la montagne et souffle dans la vallée, expliqua Armon, et des nuages orageux s'amassent souvent autour de la grande montagne. De vastes feux de broussailles le long de la colline ne sont pas inhabituels à cette période-ci de l'été. Tout devient noir pour renaître au printemps avec de nouvelles broussailles. Le cycle continue année après année. Le nombre d'incendies varie beaucoup d'une année à l'autre, mais ce sont souvent les humains ou la nature qui mettent le feu aux buissons morts.

Mes yeux s'étaient habitués à la pâle lumière des étoiles et à la lueur lointaine des flammes sur la colline. Armon s'agenouilla à côté de moi, désignant quelque chose du doigt dans l'obscurité.

— J'ai allumé le feu là-bas avec mon silex, au pied du mont Laythen, et le vent l'a poussé le long de la colline, puis de l'autre côté.

Le feu avait déjà gagné le sommet de la colline ainsi que le versant donnant sur la vallée où nous nous trouvions. Je pouvais donc présumer qu'il s'étendait sur l'autre versant également.

— Des milliers de poteaux forment la vallée des Épines. Leur base est couverte d'un épais goudron, et les broussailles qui poussent là se consumeront comme elles le font toujours. Les géants se retireront de la vallée des Épines et se tiendront à sa lisière, protégeant la forêt au cas où les flammes s'approcheraient trop, jusqu'à ce que le feu soit passé. Puis ils parcourront la vallée et piétineront le moindre tison qui reste. Au matin, notre chance sera passée.

La lueur orangée de la ligne de feu était envoûtante dans l'obscurité, comme un serpent ondulant sur le sol, se tortillant et dévorant tout sur son passage. Elle rougeoyait, ardente et large, lorsque le vent soufflait en bourrasques, puis s'apaisait, faible et patiente, quand les rafales tombaient.

— Ramassez vos affaires et respirez profondément pendant qu'il y a de l'air frais. La fumée qui nous servira de couverture rendra la traversée difficile, ajouta Armon.

— À quelle distance se trouve la grande montagne? demanda John, qui voulait s'orienter et comprendre où nous allions entrer dans la cité.

— À une trentaine de kilomètres d'ici environ, répondit Armon.

— Tu ne peux pas avoir franchi une telle distance pendant que nous dormions, Armon. Une trentaine de kilomètres en quelques heures à peine, c'est difficile à imaginer, même dans ton cas, dit Yipes.

— Deux heures et douze minutes, pour être précis, l'informa Armon. Et tu croyais que je ne faisais que manger des mûres et flâner dans les montagnes durant toutes ces années, comme un imbécile heureux.

— Oui mais, une soixantaine de kilomètres? insista Yipes.

Armon n'avait rien à ajouter sur le sujet, et le silence s'installa dans l'air de la nuit, tandis qu'une brise fraîche poussait les flammes vers nous.

Nous nous éloignâmes du feu, parallèlement à la colline. Les flammes étaient encore loin de nous, mais elles progressaient vite et il me sembla que dans une heure au plus tard, elles seraient exactement à notre hauteur. Déjà, l'odeur curieusement attirante de la fumée flottait dans l'air et les étoiles avaient disparu derrière le voile qui s'installait dans le ciel.

— Nous devons nous déplacer rapidement, jusqu'à ce que nous soyons à un peu plus d'un kilomètre des falaises du sud, puis monter la colline tandis que les flammes danseront

111

à nos pieds, déclara Armon. Il faut espérer que les géants qui seront restés ne nous verront pas à travers le voile de fumée lorsque nous pénétrerons dans la forêt, de l'autre côté.

Nous continuâmes à marcher, pressant le pas lorsque le vent se mit à souffler plus fort et, en un rien de temps, le feu parut réduire de moitié la distance qui le séparait de nous. Vingt minutes plus tard, les flammes étaient plus près que nous ne l'avions prévu.

— Il faut courir! cria Armon.

Il se mit à genoux et me fit signe de monter sur son grand sac de cuir et de m'accrocher. Puis il prit Yipes et Murphy sur ses épaules et se redressa. John et Odessa ne devraient compter que sur eux-mêmes, stimulés par la gigantesque foulée d'Armon derrière eux comme par un coup de fouet sur leurs talons. Je fus étonnée de constater à quel point son dos était grand et son cou, large, combien j'étais haute dans les airs et quelle puissance émanait de lui. J'avais l'impression de monter un taureau d'une force magistrale qui allait me projeter dans les airs avant de me piétiner.

— Suivez-moi pour le reste du trajet, dit Armon à nos compagnons. Nous devons tourner vers la colline maintenant et grimper le versant. Faites le moins de bruit possible, même en toussant. Aussi fatigués que vous soyez, ne vous arrêtez pas tant que je ne le vous dirai pas.

La fumée était beaucoup plus épaisse maintenant et arrivait par vagues. À quelque 45 mètres seulement sur notre droite rampait le serpent de feu. À mesure qu'il approchait, j'étais surprise par la hauteur des flammes. J'avais cru qu'elles ne feraient pas plus d'une trentaine de centimètres de haut, mais, quand le vent s'en emparait, elles s'élevaient à plus de deux mètres dans le ciel noir.

Guidés par Armon, nous nous étions déplacés en diagonale par rapport à la colline et, bientôt, nous fûmes à son pied. Je me retournai et constatai que John et Odessa étaient juste derrière nous. La partie la plus difficile de notre périple nocturne allait commencer, et Armon l'avait planifiée à la perfection. La chaleur dégagée par les flammes augmentait constamment et la fumée formait des rivières blanches informes tout autour de nous. Je me retournais sans cesse pour regarder nos amis, mais, à peu près à mi-chemin sur le versant de la colline, la fumée devint tellement opaque que je les perdis complètement de vue.

— Armon, on les a perdus! dis-je.

Je regardai à ma droite et vis que le feu était trop près. Caché par la fumée, il avait rampé jusqu'à nous, les flammes frôlant maintenant les pieds d'Armon.

Ce dernier s'élança vers la gauche et continua à gravir la colline vers le ciel rempli de fumée. Il se déplaçait plus vite maintenant, bondissant à grands pas vers le sommet et restant à gauche pour éviter le feu.

— Armon, tu vas trop vite! dis-je. Ils ne peuvent pas te suivre.

Il continua pourtant à courir, de plus en plus vite, jusqu'au moment où nous atteignîmes le sommet, là où la colline devenait plane avant de dévaler de l'autre côté. Rapidement, il nous posa par terre et redescendit la colline, plongeant de nouveau dans la fumée.

— Continuez à vous éloigner des flammes et restez près

du sommet, dit-il en s'éloignant. Ne descendez pas la colline, ni sur un versant ni sur l'autre.

Au sommet, la fumée n'était pas aussi épaisse, mais nous avions quand même du mal à respirer. Yipes, Murphy et moi restâmes devant les flammes tandis qu'elles se rapprochaient, glissant de temps à autre sur le versant en tentant de rester au sommet et hors de vue. Je jetai un coup d'œil en bas, là où la fumée était le plus dense, mais je ne vis aucun signe de nos compagnons.

— J'espère qu'ils sont sains et saufs, s'écria Murphy.

Les secondes devinrent des minutes, et nous nous déplaçâmes de près de dix mètres en haut de la colline pour rester hors de portée des flammes. Je levai les yeux vers le ciel et constatai avec étonnement qu'un plafond de fumée flottait tout autour de nous, masquant tout ce qui se trouvait à plus de deux mètres au-dessus de nos têtes. J'étais affolée de voir à quel point la fumée avait envahi le ciel. Je commençai aussi à me demander si nous nous étions beaucoup rapprochés des falaises du sud, là où la colline rétrécissait pour finir par rejoindre l'escarpement prononcé donnant sur les rochers déchiquetés et la mer Solitaire tout en bas.

Tandis que j'avais la tête tournée vers les falaises, Odessa s'approcha, renifla mes pieds et me donna un coup de patte. Je m'agenouillai et entourai son gros cou touffu.

— Armon porte John, juste derrière moi, dit-elle, et, aussitôt, Armon apparut avec John sur son épaule.

Il le posa par terre avec un bruit sourd et je fus soulagée de voir John conscient et énergique.

— Les nuages ont envahi le ciel, dit Armon. Bientôt, la pluie va se mettre à tomber et nous ne serons plus couverts.

Il n'ajouta rien d'autre, se contentant de courber le dos et de se diriger vers le sommet de la colline. Celui-ci était plat sur six mètres, puis se terminait encore plus abruptement sur l'autre versant que du côté où nous nous trouvions auparavant. Jetant un coup d'œil en contrebas, j'aperçus les lumières du quai de Castalia au loin, mais tout le reste était enseveli sous la fumée et l'obscurité.

— Vous devez me suivre pas à pas, ordonna Armon. Ne déviez pas de mon chemin, ni vers la gauche ni vers la droite. Tenez-vous l'un à l'autre afin de rester ensemble malgré la fumée.

Armon commença à descendre la colline sur le versant opposé, Yipes et Murphy sur ses épaules encore une fois, et moi m'accrochant fermement au sac dans son dos. John tenait Armon par un pan de sa veste de cuir et, de son autre main, il agrippait la fourrure d'Odessa.

La pente était abrupte, envahie de buissons et de petites pierres. Je grimaçais chaque fois que les cailloux étaient projetés de sous les énormes pieds d'Armon, craignant que le bruit trahisse notre présence et qu'un géant monstrueux surgisse soudain devant nous. Je fus soulagée quand nous arrivâmes en bas, même si la fumée y était terriblement épaisse et grise et que je n'y voyais qu'à un mètre devant moi. Mes poumons avaient un urgent besoin d'air frais et je pouvais entendre ma respiration sifflante tandis que mon corps tentait de s'ajuster. Les premières gouttes de pluie commencèrent à tomber et le vent se mit à tourbillonner autour de nous; la fumée suivit son maître et se dispersa en tournoyant.

— Voici la vallée des Épines, déclara Armon.

À travers les tourbillons de fumée émergea un vaste cimetière de poteaux.

— Ne touchez à rien et déplacez-vous avec précaution. De minces fils relient plusieurs des poteaux; il faut donc être prudent en les contournant. Le sommet de chaque poteau est enduit de poison. Imaginez que ce champ de pointes vénéneuses est un labyrinthe. Suivez-moi de près. Si nous laissons une trace, ils nous trouveront sûrement.

Armon zigzaguait entre les poteaux; certains étaient courts et d'autres s'élevaient au niveau de mes yeux sur le dos d'Armon, tous tranchants comme des rasoirs à leur extrémité et luisants de poison rouge sang. Je me tenais fermement au grand sac de cuir en espérant qu'il ne serait pas arraché du dos d'Armon – et moi avec – et empalé sur un poteau. La fumée nous enveloppait comme du brouillard, tournoyant autour de nous, et les poteaux se dressaient dans la faible lueur de l'aube, comme des os creux. Pendant tout ce temps, la pluie tombait avec de plus en plus d'intensité : des gouttes d'abord petites, puis plus grosses et plus nombreuses. Bientôt, le ciel allait se rompre, les flammes seraient étouffées et, avec elles disparaîtrait la fumée qui nous camouflait.

Armon s'arrêta brusquement et demeura immobile et silencieux. Nous avions presque traversé la vallée des Épines et je pouvais distinguer le contour des arbres dans la forêt devant nous. Mais il y avait autre chose : un mouvement à droite à travers la mince couche de fumée qui subsistait. Dans la brume du matin, mon cœur battait la chamade contre le dos d'Armon; tout à coup, les nuages éclatèrent. L'arrière luisant de la tête d'un géant apparut, ses épaules monstrueuses et croches oscillant comme s'il travaillait à quelque chose devant lui. Puis un autre géant surgit à ma droite, se dirigeant vers le premier. Celui-là, je le vis complètement lorsqu'il passa dans la lumière terne à seulement trois mètres de nous, des filets d'eau ruisselant sur son visage difforme, son odeur si près que, même sous la pluie purifiante, je faillis avoir un haut-le-cœur. Il bouscula le premier géant, puis ils aboyèrent l'un après l'autre dans une langue que je ne comprenais pas. Elle était gutturale, grasse et grave, comme s'ils crachaient avec chaque mot. Ils s'éloignèrent sous la pluie, laissant derrière eux un grand poteau qui penchait un peu à gauche, comme s'il n'était pas maintenu en place comme les autres.

Alors que la pluie continuait de tomber à torrents et que la fumée s'était presque entièrement dissipée, Armon commença à avancer, puis poussa John et Odessa dans l'obscurité de la forêt. D'autres géants se rassemblaient autour des deux premiers. Au moment où ils se retournaient pour scruter du regard l'endroit où nous étions, Armon se faufila entre les arbres, me portant toujours sur son dos robuste.

Nous restâmes sans bouger durant un moment, la fumée flottant comme une épaisse brume dans les arbres. Nous respirâmes l'air de la forêt. C'était une zone boisée et dense au milieu des broussailles. J'étais contente d'être sur le dos d'Armon, puisque je m'épargnais ainsi de nombreuses égratignures.

— Il faut encore traverser le bois, mais la fumée qui persiste aidera à nous couvrir, murmura Armon. Bientôt, nous atteindrons un embranchement. L'un des sentiers nous mènera à l'endroit où nous devrons nous cacher.

Armon continua à chuchoter, expliquant à John et à Odessa qu'ils devaient l'observer et se tenir prêts à quitter le sentier et à se cacher dans la forêt s'ils le voyaient faire de même, les sentiers étant surveillés par les géants de Grindall. Nous avançâmes silencieusement dans la pénombre; c'était Odessa qui semblait éprouver le plus de difficultés, ses pattes s'empêtrant souvent dans les broussailles touffues. Bientôt, nous arrivâmes à un sentier sinueux. Dans un endroit que l'on aurait cru habité par la mort et le désespoir, je fus décontenancée par la beauté des courbes simples, la brume semblable à de la fumée au-dessus de nos têtes, la lumière perçant les nuages qui s'éloignaient déjà et révélaient des coins de bleu pâle, la pluie qui s'était changée en bruine. Armon nous posa sur le sol, Murphy, Yipes et moi, et je sentis la terre molle et mouillée sous mes pieds. Nous poursuivîmes notre chemin, tournant ici et là. Armon ouvrait l'œil, guettant l'ennemi.

— Pourquoi sentent-ils aussi mauvais? murmurai-je.

Armon porta un doigt à ses lèvres et me fit signe de ne pas faire de bruit, puis il se pencha et chuchota à son tour :

— Ils pourrissent de l'intérieur, expliqua-t-il.

Je fis la grimace et Armon posa un genou par terre, se penchant pour faire face à notre groupe.

— Ma race est presque éteinte, ajouta-t-il.

Je vis la tristesse qu'il éprouvait en reconnaissant qu'il était le dernier de son espèce.

— Ceux qui restent ne sont pas des géants. Ils sont transformés, entièrement possédés par le mal; aucune trace de lumière ne subsiste en eux. Nous ferions mieux de les appeler des ogres dorénavant, car c'est ce qu'ils sont devenus. Je n'ai rien en commun avec eux.

Le matin était bien installé maintenant; les plantes et les feuilles mouillées dansaient doucement dans la brise légère. Le ciel était de saphir, et seuls quelques petits nuages s'y étiraient encore. Les arbres s'élevaient très haut de chaque côté du sentier, se balançant paresseusement dans le premier souffle du jour.

Un bruit soudain, derrière nous, nous fit sursauter. Je faillis bondir hors du sentier. C'était Squire qui venait de se poser sur un arbre bordant le chemin.

— Squire! chuchota Yipes. Est-ce qu'il faut vraiment que tu sois aussi théâtrale?

Squire poussa un cri aigu en guise de réponse, une lueur de colère dans les yeux.

— Quittez le sentier, ordonna Armon.

Et avant que j'aie pu me retourner pour le regarder, il m'avait saisie par la taille et soulevée de terre, mon visage et mes bras frottant les broussailles rêches tandis qu'il m'emportait. Squire s'envola de nouveau, et tous, nous nous accroupîmes dans le fourré en bordure du sentier. Tous, sauf Murphy, qui avait trouvé une noix tombée de l'un des arbres. Il était complètement absorbé par sa trouvaille croquante, grignotant sans relâche au beau milieu du sentier, jusqu'au moment où deux ignobles ogres furent à quelques enjambées seulement de l'endroit où il se tenait. Leurs ombres surprirent Murphy. Levant les yeux, il cria, se mit à courir dans tous les sens comme s'il avait perdu la tête, puis grimpa à un arbre d'où il put voir les deux ogres écrabouiller son déjeuner.

Encore une fois, il y eut cette odeur fétide lorsque les ogres passèrent sur le sentier, une odeur détestable de chair putréfiée, portée par le vent jusqu'à l'endroit où nous étions accroupis, immobiles, dans le fourré. Les ogres remarquèrent à peine Murphy sur leur chemin. Un peu plus loin, là où le sentier se divisait en deux, les ogres prirent des directions différentes, l'un s'enfonçant dans la forêt, l'autre se dirigeant vers le lac.

— Pourquoi n'y ai-je pas songé? se demanda Yipes après leur passage. Il fera un bon éclaireur de là-haut, pourvu qu'il ne passe pas son temps à manger.

Il fut donc convenu que Murphy demeurerait dans les arbres, allant en reconnaissance, tandis que nous traversions la forêt. Celle-ci était vraiment magnifique, étonnamment remplie d'oiseaux et d'autres petites créatures qui détalaient dans le sous-bois. Elle s'étirait le long de la rive sud du lac et, à un certain moment, je réussis à entrevoir, entre les arbres, la vaste étendue bleue, le reflet du mont Laythen luisant à sa surface. C'était différent de tout ce que j'aurais pu imaginer voir à Bridewell.

Durant un bon moment, nous ne croisâmes aucun autre ogre, bien que Murphy nous fît sortir du sentier une fois lorsque trois femmes passèrent dans une vieille charrette bringuebalante tirée par un cheval maigre. Je fus stupéfaite de voir des gens dans le bois et je réalisai que nous approchions de Castalia. Je vis les femmes à travers les broussailles, surtout celle qui était assise le plus près de moi, au bord de la charrette. Elle n'était pas belle, mais quelque chose laissait croire qu'elle l'avait été autrefois. Elle semblait fatiguée. Ses deux compagnes parlaient tout bas, mais elle restait silencieuse. Je me levai dans le sous-bois et regardai les trois bonnets foncés sur leurs têtes descendre et remonter au gré des bosses sur le chemin. Quelque chose chez cette femme me frappa et j'eus le sentiment que quelqu'un me disait de me rappeler son visage.

Nous poursuivîmes notre route et, bientôt, une autre puanteur envahit l'air, aussi pire que celle des ogres, mais différente pourtant, évoquant davantage des déchets pourris. Murphy descendit de l'arbre où il était perché et, de nouveau, nous nous rassemblâmes tous hors du sentier.

Quatre mots seulement furent prononcés, mais ils suscitèrent un nouveau sentiment d'inquiétude.

— La cité des Chiens, fit John.

Armon approuva d'un signe de tête.

CHAPITRE 16

DANS LA CITÉ
DES CHIENS

— Au bout de ce virage et dans la clairière, expliqua Armon, la forêt s'éclaircit, puis c'est le dépotoir. Là, nous trouverons les chiens sauvages. Les meutes se seront agrandies et seront devenues plus agressives au fil des années.

Il fit une pause et renifla l'air, s'efforçant sans doute de se rappeler l'endroit tel qu'il était quand il l'avait vu la dernière fois.

— Sortez vos armes et attendez-vous au pire, souffla-t-il en dégainant sa propre épée massive le plus silencieusement possible.

Puis il se tourna brusquement vers Odessa, et tous deux se dévisagèrent.

— Tu nous seras peut-être utile ici, dit Armon. Il est possible qu'ils te considèrent comme l'une des leurs et qu'ils nous laissent passer. Mais nous ne pourrons pas les éviter. Ils savent que nous sommes là.

Nous franchîmes la fin du sentier, Odessa et Armon avançant côte à côte devant nous, d'un pas assuré. Lorsque nous sortîmes du tout dernier virage dans la forêt, la puanteur faillit me faire perdre pied. Une douce brise portait avec elle le présage de ce qui nous attendait.

C'était à peu près ce que j'avais imaginé : une grande

étendue de maisons délabrées et des montagnes de débris. Des chemins allaient dans différentes directions; la terre dure présentait de profondes rainures creusées par les roues et dans lesquelles s'était accumulée l'eau de pluie. Des tas d'ordures fumaient dans le soleil matinal et le vent charriait un flot continuel de nouvelles odeurs pestilentielles.

Nous continuâmes à marcher en suivant Armon, guettant tout bruit qui indiquerait la présence d'humains ou d'ogres dans les parages. Nous étions maintenant au cœur de la cité des Chiens, et des hurlements retentissaient tout près et au loin. Odessa se mit à grogner; elle avançait avec une hésitation croissante, les oreilles dressées, à l'affût des chiens qui pourraient surgir et nous attaquer.

— Où sont-ils, Odessa? demanda Yipes déjà prêt à tirer une flèche avec son petit arc.

— Ils bougent sans arrêt, répondit-elle (je traduisais sa réponse aux autres). Il y a plus d'une meute, au moins deux. Elles suivent notre trace et s'observent mutuellement.

Tout à coup, elle s'immobilisa et se tourna vers nous.

— Ce sont deux grosses meutes d'au moins 50 chiens, assurément.

Soudain, des grondements et des aboiements fusèrent de partout autour de nous et, presque aussitôt, nous fûmes pris au piège, une meute de chiens surgissant de derrière deux tas de déchets à gauche du sentier, et une autre s'avançant à droite. Des rangées et des rangées de chiens nous encerclèrent. Ils étaient dégoulinants de bave, certains avec des plaies béantes autour de la gueule et du museau. D'autres marchaient faiblement en boitant dans la rangée la plus éloignée.

Nous nous regroupâmes tandis que les chiens s'approchaient peu à peu. Il aurait été inutile de courir; ils espéraient sans doute que nous ferions cela, afin de mieux nous isoler les uns des autres, nous attraper par les jambes et nous déchirer en lambeaux, un à un.

— Tu ne peux pas leur parler, Odessa? suppliai-je.

Les aboiements et les grondements étaient féroces; j'avais peur et je tremblais de tout mon corps. Le premier rang de chiens n'était plus qu'à quelques mètres de nous. Là où les deux meutes se rejoignaient déjà, des chiens grognaient et se battaient farouchement, et je sentis que ce n'était qu'une question de temps avant que nous nous retrouvions au milieu des crocs et des griffes, les deux meutes s'affrontant pour déterminer laquelle décrocherait le prix, c'est-à-dire nous.

Un très gros chien noir à la tête immense et à la crinière ébouriffée, l'air étonnamment bien portant, s'approcha encore davantage; il devait s'agir du chef de l'une des deux meutes. Odessa s'interposa entre lui et moi, grondant férocement. Les deux animaux se faisaient face, sans s'attaquer, même s'ils en mouraient vraisemblablement d'envie. Une situation similaire se déroula avec l'autre meute : le plus grand chien, un croisé brun au poil touffu et aux dents d'un blanc éblouissant, s'avança, mais cette fois, pour se mesurer à Armon. Il s'agissait d'animaux effrayants, porteurs de maladies qu'une simple morsure pouvait transmettre à n'importe lequel d'entre nous.

— Vous avez un choix à faire, dit John, s'adressant

directement aux chiens.

Sa voix apaisante entraîna une vague de reniflements et de balancements de tête dans la mer de chiens sauvages.

— Nous pouvons faire la guerre ici, dans la boue. Vous finirez sûrement par nous vaincre, mais pas avant que nous ayons tué plusieurs, pour ne pas dire la majorité d'entre vous. À elle seule, l'épée d'Armon peut faire de nombreuses victimes. Et qui sait? Nous pourrions même arriver à vous éliminer tous. Après tout, nous avons des lames, des flèches et un géant.

John fit une pause et promena son regard autour de lui.

— Contre une centaine de chiens, ça ne suffira peut-être pas, mais la bataille sera serrée.

Intrigué, le chien noir dominant marchait de long en large, ne sachant trop quoi penser de cet homme qui se tenait devant lui.

— Comment se fait-il que tu parles et que nous te comprenions? grogna le chien. Est-ce que tu entends ce que je te dis?

John répéta mot pour mot ce que le chien avait dit, ce qui eut pour résultat de confondre les deux chefs de meute. Déconcertés et ne sachant plus que faire, tous les chiens reculèrent et attendirent la décision de leurs chefs respectifs.

— Si vous voulez bien m'écouter tous les deux, je vais vous proposer une autre solution qui, comme vous le constaterez sûrement, serait tout à votre avantage, dit John.

Il posa un genou par terre entre les deux chiens et commença à leur expliquer qui nous étions et pourquoi nous étions venus, omettant de nombreux détails sans importance. Il leur dit que nous étions là pour renverser Grindall, pour libérer les gens des ogres et pour sauver une prisonnière retenue dans la tour obscure.

— Si vous pouvez, tous deux, maîtriser vos meutes et les utiliser pour nous aider à vaincre Grindall et son armée de bêtes, je vous donne ma parole que je ferai tout en mon pouvoir pour vous aider à mon tour, conclut John.

Le chien brun galeux se lécha le museau et sembla considérer notre offre.

— Piggott? fit-il en regardant l'autre chef pour connaître ses intentions. Il y a déjà longtemps que nous avons choisi nos territoires et formé nos armées. Mais la nourriture se fait de plus en plus rare d'une année à l'autre et nos combats nous rapportent de moins en moins. Bientôt, nous devrons déménager près du quai pour trouver de quoi manger et nous signerons ainsi notre arrêt de mort. Les géants viendront et nous tueront tous, un à un, jusqu'au dernier.

Le chien noir nous examina attentivement, droit et fier, et je remarquai pour la première fois que ses côtes faisaient saillie sous son pelage hirsute. Depuis combien de temps n'avait-il pas mangé? J'aurais voulu aller vers lui et le caresser, mais j'avais peur qu'il essaie de me happer la main et d'y planter ses crocs.

— Scroggs, dit-il au chien brun, crois-tu que ce géant est celui qui a pris les dernières pierres?

Armon demeura silencieux, observant la scène avec stupéfaction tandis que nous communiquions avec les chiens. Pour lui, Piggott et Scroggs ne faisaient que gronder, aboyer et bouger la tête d'un côté et de l'autre. C'était un langage qu'il ne pouvait pas espérer comprendre.

Je retirai ma jocaste de la pochette et l'exhibai; elle brillait, même en plein jour. Piggott et Scroggs reculèrent chacun d'un pas et les autres chiens battirent en retraite, certains disparaissant presque complètement derrière des murs à moitié démolis et des tas d'ordures, leur tête seule en émergeant.

— C'est bien le géant Armon, celui qu'ils cherchent jour et nuit, répondit Scroggs, étonné et tremblant. La fin doit être plus proche que je ne le croyais.

Une discussion animée s'ensuivit, Piggott et Scroggs se disputant pour savoir lequel des deux occuperait le plus haut rang et par quelle méthode les meutes s'uniraient ou travailleraient de concert. Ils paraissaient plus féroces que jamais dans leur hâte de vaincre Grindall.

Il fut décidé que nous devions nous cacher et, encore une fois, la cachette serait la tour à horloge, à l'autre bout du dépotoir. Scroggs et sa meute errerait dans le quartier nord de la cité des Chiens, tandis que Piggott et sa bande parcourrait le sud. Le moment venu, nous ferions appel à eux et, tous ensemble, la centaine de chiens assiégeraient le château en pleine nuit.

— Notre aide a un prix, dit Piggott, et tous les chiens des deux meutes se mirent à gémir et à aboyer. Il y a un boucher sur le quai. Apportez-nous une centaine de pièces de viande fraîche, et nous nous battrons jusqu'à la mort. Ces bêtes méritent un bon repas au moins une fois dans leur vie, et j'ai l'intention de le leur offrir.

Mon regard se posa sur les deux meutes. Avec leurs

grognements et leurs aboiements sinistres, ils faisaient vraiment peine à voir. Bon nombre d'entre eux étaient grands, mais étrangement fragiles et dociles, et la plupart étaient visiblement malades. J'eus pitié d'eux en cet instant et, même si je souhaitais pouvoir les sauver tous, je savais que la victoire contre Grindall ne signifierait pas grand-chose pour ces animaux. La vie qu'ils menaient laissait présager une mort précoce. Scroggs et Piggott le savaient bien, et c'est peut-être pour cette raison qu'ils avaient accepté si volontiers de se joindre à nous dans notre quête. Une fin héroïque au couteau valait mieux que celle qui attendait les deux meutes. Les chiens détestaient Grindall, les ogres et leurs méthodes cruelles, et voilà qu'on leur fournissait l'occasion de les détruire, de se sentir enfin utiles.

— John et moi pouvons le faire, déclarai-je. Nous vous apporterons votre repas, et même plus encore si nous pouvons tout porter.

Les meutes restèrent aux côtés de Scroggs et Piggott pendant que les deux chefs nous guidaient encore plus profondément dans la cité des Chiens, vers la tour à horloge. Il ne nous manquait plus qu'une chose, une chose de laquelle notre réussite dépendait presque entièrement. Nous avions besoin de Castaliens, de beaucoup de Castaliens.

CHAPÎTRE 17

LE QUAÎ

La tour à horloge était exactement comme je l'avais imaginée en entendant l'histoire. Elle avait l'air mystérieuse, isolée parmi les mauvaises herbes et les débris, comme si des événements secrets s'y étaient déroulés dans un lointain passé. La tour était ronde, faite de pierre et couverte de lierre, et paraissait très vieille. J'éprouvai aussitôt l'envie de toucher cet endroit où Laura et Catherine s'étaient cachées.

— C'est fantastique, dis-je, levant les yeux vers John dans l'air frais de la nuit.

Il se contenta de hocher la tête, perdu dans ses pensées tout comme je l'étais.

Nos visages étaient camouflés sous des capuchons fabriqués à partir de couvertures. Les paysans de Castalia ayant l'habitude de couvrir leur visage de cette façon, nous ne craignions pas trop de nous faire remarquer ou identifier comme étant des étrangers si quelqu'un croisait notre route. Le reste de notre tenue était conforme à celle des roturiers : tout ce que nous portions était sale et en loques à la suite de notre long périple. John était vêtu d'une tunique miteuse alors que je portais ma tunique couleur terre, effilochée aux chevilles, et mes vieilles sandales de cuir.

Nous avions laissé tous les autres dans la tour, occupés à planifier comment nous allions secourir Catherine et débarrasser Castalia de Grindall et des ogres. Il faisait très chaud dans la tour et on y manquait d'air; j'étais contente d'en être sortie. Pourtant, l'air de la cité des Chiens sentait mauvais comme un vieux fromage. J'avais hâte d'être près du lac où l'air serait frais et limpide.

Armon avait déjà beaucoup réfléchi à la meilleure façon de nous y prendre avec Grindall. Il nous avait expliqué en détail comment nous devions nous approcher du quai sans être vus et comment nous devions nous mêler aux autres si quelqu'un nous adressait la parole. John et moi portions nos sacs de cuir dans le dos. Ils étaient vides, mais nous espérions retourner à la tour avec autant de viande qu'ils pourraient en contenir.

— Le boucher reçoit généralement trois ou quatre cochons le matin, dit Piggott.

Il était en reconnaissance juste devant nous, nous guidant sans bruit vers le bord du quai, où il attendrait notre retour.

— À l'arrière de la boutique, il fume le jambon et fait bouillir les os. C'est là que vous trouverez ce que nous voulons. Les jambons seront lourds, mais vous y arriverez. Vous pourrez les découper, une fois revenus dans la tour.

Piggott continua à avancer, John et moi sur ses talons, jusqu'au moment où nous atteignîmes le dernier des bâtiments délabrés et des tas d'ordures. Devant nous s'étendait un champ au-delà duquel on apercevait le bord chatoyant du lac, sa surface comme une mer noire marquée des reflets jetés par les étoiles et la lune.

— Si vous traversez le champ ici et marchez près du lac, vous trouverez le quai, dit Piggott.

Il s'assit et se gratta vigoureusement le côté de la tête.

— Cette route n'est pas surveillée par les géants, seulement par les humains. Ils ne s'attendent pas à trouver des intrus puisque personne ne vient jamais ici. Ils guettent seulement ceux qui tentent de s'échapper. Mais cela se produit si rarement que, la plupart du temps, les gardes dorment ou jouent aux cartes durant la nuit. Si vous êtes prudents, vous ne devriez avoir aucun mal à vous rendre jusqu'au quai. En revenir risque d'être plus difficile, mais, si vous êtes vigilants et silencieux, vous passerez.

Avant notre départ, Armon avait pris soin de nous expliquer que, à la nuit tombée, il y aurait moins de gens sur le quai. Nous allions voir quelques gardes et des ogres, et peut-être des blanchisseuses jetant leur eau sale ou des hommes ramassant des débris, mais les rues seraient, pour la plupart, désertes jusqu'au matin.

John fut le premier à s'aventurer dans le champ, à découvert; je le suivis avec un peu d'hésitation, regrettant, pour une fois, de ne pas pouvoir rester dans la sécurité relative de la cité des Chiens. Nous n'étions pas loin du lac et, à mesure que nous approchions dans la nuit calme et paisible, l'air se rafraîchissait. Le bruit de l'eau clapotant paresseusement sur les rochers apaisait mon esprit surchauffé et, durant un instant, j'eus l'impression d'être chez moi, derrière mon pupitre, m'ennuyant à mourir, mais heureuse et en sécurité.

Nous longeâmes rapidement le bord de l'eau, avançant vers les lumières pâles, toutes proches. J'entendis des voix et commençai à me demander qui nous allions rencontrer et ce que faisaient ces personnes. Deux hommes, probablement des gardes, marchaient le long du lac comme nous, venant dans notre direction. Chacun tenait une torche. John prit ma main et nous nous précipitâmes dans le champ, où nous restâmes couchés par terre dans les broussailles à attendre, parfaitement immobiles. Les hommes n'avancèrent qu'un peu plus, puis tournèrent les talons sans se rendre jusqu'à nous, bavardant calmement.

Nous nous relevâmes et les suivîmes d'assez loin jusqu'au moment où ils disparurent en tournant un coin. Nous nous tenions au bord du quai, et des maisons commençaient à apparaître. Il était presque 23 heures et, comme l'avait prévu Armon, les rues étaient désertes.

Même dans le noir, il était clair que le quai était un endroit sale. Les maisons et les façades des petits bâtiments étaient en bois blanchi à la chaux; mais il s'agissait de simples structures dépourvues de charme et de caractère, et plusieurs montraient des façades brisées et des coins effrités. La rue était faite de petits pavés, beaucoup plus petits que ceux de chez nous, et la pluie récente en avait laissé un grand nombre maculé de boue. Un muret de pierre d'environ un mètre de haut longeait le quai du côté du lac et, à chaque six mètres, une ouverture permettait de descendre au bord de l'eau.

— Qu'allons-nous faire? demandai-je.

John me fit signe d'avancer et nous longeâmes le muret jusqu'à l'une des ouvertures. Nous nous y engouffrâmes et nous accroupîmes, nous déplaçant sans bruit le long du lac. Il y avait des touffes d'herbe, des cailloux et des pierres sous nos pieds, mais nous étions cachés derrière le muret. Nous aperçûmes un groupe de gardes qui jouaient aux dés et un homme qui poussait un chariot bruyant sur la rue. Des réverbères perçaient la noirceur, mais nous réussîmes à progresser sans être vus.

Un peu plus loin, nous arrivâmes à la hauteur d'un groupe de femmes qui se tenaient à côté du muret. Elles lavaient des vêtements et parlaient à voix basse. L'une d'elles s'avança dans une ouverture et versa de l'eau sale dans le lac, puis remplit son seau en bois. Elle portait un bonnet bleu, comme toutes les autres femmes, et quand elle se retourna pour aller rejoindre ses compagnes, je vis qu'elle avait la même expression que la femme que j'avais vue passer dans la cité des Chiens, plus tôt ce jour-là. Elle semblait triste et fatiguée, et se déplaçait comme si elle n'était qu'à demi éveillée.

Les quatre femmes travaillaient en parlant à voix basse. Il nous fallait atteindre la rue et passer devant elles pour trouver la boucherie. Nous fîmes marche arrière et traversâmes le mur, là où la lumière était faible. Nous couvrant le visage, nous baissâmes les yeux avant de marcher dans la rue vers les femmes aux bonnets bleus. Je pouvais entendre un autre chariot qui roulait dans une rue transversale ainsi que la voix gutturale d'un ogre quelque part derrière nous. La voix était assez éloignée pour que je ne puisse pas déterminer sa provenance avec certitude, le son se répercutant sur le lac. Nous pressâmes le pas et, bientôt, nous fûmes près des femmes. Les vêtements mouillés claquaient sur les planches à laver savonneuses et l'odeur piquante du savon flottait dans l'air.

Je suivais John et prêtais l'oreille lorsque les femmes interrompirent leur travail et que la rue devint silencieuse. Nous passâmes devant elles et, les yeux toujours baissés, je fixai les petits pavés qui défilaient sous mes pieds.

— Vous ne devriez pas être dehors à cette heure, dit une voix calme, mais ferme. Avez-vous une tâche à accomplir?

Quand je levai les yeux, je constatai que c'était la femme de la forêt, celle qui était restée silencieuse dans la charrette et dont je ne pouvais pas oublier le visage. Comment pouvions-nous nous croiser deux fois, par hasard, en si peu de temps? Je me demandai si Élyon n'était pas en train de tirer les ficelles, de l'intérieur de la Dixième Cité, déplaçant les gens de façon qu'ils puissent se rencontrer. Intuitivement, je touchai la pochette de cuir contenant ma jocaste, puis je m'arrêtai dans la rue même si John tentait de me tirer pour que j'avance.

J'avais été entourée d'hommes durant toute ma vie, et même au cours de notre expédition à Castalia, si ce n'était de la présence quasi silencieuse d'Odessa. Cela ne me dérangeait pas du tout : je vivais la plupart du temps dans ce qui me semblait souvent un monde d'hommes, et je m'y étais habituée, appréciant même la place unique que j'y occupais. Pourtant, il y avait quelque chose qui me fascinait dans le visage de cette femme et dans la façon dont elle s'était adressée à nous. Je la comprenais mieux que ne le pouvait John. J'avais senti un espoir caché dans sa question, comme si elle souhaitait que John et moi soyons plus que deux paysans errant dans la nuit.

— Vous travaillez tard ce soir, dis-je.

Je ne m'étais toujours pas tournée vers elle, mais je voulais qu'elle sache que j'étais une fille.

— Nous avons du retard dans la lessive, alors nous lavons, répondit la femme, les autres chuchotant à côté d'elle.

Le ton de sa voix demeurait calme et posé, comme si elle ne parlait que lorsque c'était nécessaire.

— C'est comme ça à Castalia. Tu le sais bien.

Il était évident qu'elle cherchait à en savoir davantage.

John tira de nouveau ma tunique et, cette fois, je pris sa main et la repoussai doucement. Je levai la tête, regardant les femmes droit dans les yeux, l'une après l'autre, puis je retirai mon capuchon, le laissant tomber sur mes épaules.

— Nous ne sommes pas d'ici, dis-je, et une vague de frayeur glaciale me submergea à l'instant même où je laissai échapper ces mots.

Il y eut un moment de silence, puis je tendis la main et touchai doucement le bras de la femme la plus près de moi.

— Nous sommes venus vous aider.

Et voilà, je l'avais dit. Tout ce que nous avions risqué et tout ce que nous espérions était suspendu dans l'air. Elles pouvaient crier à l'aide, et nous serions alors capturés et torturés dans le cachot de Grindall. Tout serait perdu. Abaddon récupérerait les pierres et Élyon serait vaincu.

La voix de l'ogre se rapprochait, venant d'une rue transversale; l'ogre respirait bruyamment et crachait, ses pieds monstrueux se posant lourdement sur le sol.

— L'ennemi est là. Qu'en pensez-vous? ajoutai-je.

La femme regarda ses compagnes, se demandant sans

doute si l'une d'elles allait nous dénoncer. John se remit à me tirer vers lui, m'entraînant dans la rue contre mon gré.

— Ramassez vos affaires et retournez à la maison, dit la femme aux trois autres, qui affichèrent un grand sourire et se préparèrent à partir.

La femme me tendit la main. J'interrogeai John du regard et, après une courte hésitation, il acquiesça. Dès que j'eus pris la main de l'inconnue, nous traversâmes rapidement la rue et disparûmes dans un labyrinthe de rues étroites, tournant ici et là. La femme ne disait rien. Ce n'était plus la personne effacée que j'avais vue dans la charrette, puis au quai en train de faire la lessive. Elle était maintenant énergique, vive et déterminée.

À un certain moment, après bien des zigzags le long du quai, elle s'arrêta et risqua un œil au coin d'une rue. Elle serra ma main plus fort et chuchota à mon oreille :

— N'aie pas peur, dit-elle, puis elle me fit signe de regarder à mon tour.

À quelque 18 mètres de là se dressait un haut mur de pierre dans lequel était façonnée une grille massive en fer. Deux ogres armés d'énormes épées se tenaient devant. Un sentier sombre se dessinait derrière la grille et, plus loin encore, on apercevait une série de torches qui grimpaient dans l'obscurité. Un unique clocher s'élevait dans le ciel étoilé, telle une ombre menaçante.

— C'est la Tour obscure, souffla-t-elle. Le château de Grindall.

— Pourquoi nous avez-vous emmenés ici? demandai-je, troublée de nous savoir si près de l'ennemi.

Elle serra ma main plus fort dans la sienne. Il suffirait qu'elle tire, et ce serait terminé : je serais démasquée et impuissante.

Elle se tourna vers John et moi, et sa beauté d'autrefois m'apparut évidente, même dans le noir. Bien que vieillie et malmenée par la pauvreté, elle avait un visage parfait et, en voyant les larmes dans ses yeux, je voulus la sauver comme jamais je n'avais voulu quoi que ce soit dans ma vie.

— C'est un homme méchant, guidé par des forces pernicieuses, murmura-t-elle d'une voix tremblante. Personne ne sait vraiment ce qui se passe dans la Tour obscure, seulement que ce sont des choses mauvaises.

Elle marqua une pause, jeta un coup d'œil au coin encore une fois, puis reporta son regard sur nous.

— Les géants sont chaque jour de plus en plus furieux et violents. Ils sont plus malades, plus pourris. Et Grindall, lui, tente, avec toujours plus d'impatience, d'obtenir ce qu'il veut. Cela le consume.

Je plongeai mon regard dans le sien, et ma voix était étonnamment ferme et rassurante lorsque je déclarai :

— Je sais ce qu'il cherche et pourquoi.

Je ne craignais plus de lui révéler quoi que ce soit.

— Moi aussi, répliqua la femme.

Elle me fit un clin d'œil et me sourit avec une fausse timidité durant un instant. Je ne pus m'empêcher de lui sourire à mon tour en lisant l'espoir sur son visage.

— Nous devrions partir, intervint John, dont la main agrippa fermement l'épée qu'il avait maintenue cachée.

Il jetait des regards furtifs ici et là, à l'affût du moindre danger.

La femme me fit pivoter et nous nous retrouvâmes de nouveau en train de filer à toute allure dans les rues, en direction du bord de l'eau. Pendant que nous courions, je lui dis mon nom et celui de John, et elle nous apprit que le sien était Margaret. Je n'aurais pas pu dire si Margaret nous faisait emprunter le même trajet qu'avant ou s'il s'agissait d'un autre : les rues étroites et les passages serpentaient dans toutes les directions et les façades me paraissaient toutes familières. Il faut dire que tous les taudis étaient faits de pierre et de bois, et qu'ils se ressemblaient à s'y méprendre.

Nous parvînmes à une porte en bois dotée d'un heurtoir en forme de fer à cheval. Margaret saisit le heurtoir et frappa bruyamment à la porte à trois reprises; le bruit sourd résonna dans la rue. Un instant plus tard, la porte s'entrouvrit en grinçant. Nous nous glissâmes à l'intérieur de la maison, et la porte fut refermée et verrouillée derrière nous.

CHAPITRE 18

BALMORAL

Un feu brûlait dans l'âtre. Quelques petites bougies – deux sur une grosse table usée et une autre sur un tas de bois dans un coin – contribuaient aussi à l'éclairage tamisé de la pièce exiguë. Une petite fille était assise sur le plancher et jouait avec des pelures d'oignon qui tombaient des genoux de sa mère. Elle déchirait avec précaution les pelures fines comme du papier pour en faire des poupées et de minuscules vêtements. Interrompant leurs activités, la fillette et sa mère nous dévisagèrent; la petite alla s'accrocher à la jambe de sa mère, qui restait bouche bée.

Un homme, maigre et portant une barbe noire broussailleuse, se tenait aussi dans la pièce, près du feu, un tisonnier à la main. C'était lui qui avait ouvert la porte; puis il avait fixé Margaret avec incrédulité ne comprenant pas pourquoi elle nous avait emmenés là. Il avait de grands yeux, les joues cireuses et une tignasse de cheveux noirs.

À notre droite se tenaient les trois femmes que nous avions vues au lac. L'une lavait une assiette brune dans un petit baril en bois, une autre plumait un petit oiseau et la troisième suspendait des vêtements mouillés sur un fil tendu à côté du foyer. Une lourde table rectangulaire, abîmée par le temps, trônait en plein centre de la pièce, jonchée de racines et de pommes de terre, de vaisselle et de pichets en bois. Deux longs bancs massifs étaient placés près de la table, et

139

Margaret, qui avait un peu pâli, nous fit signe, à John et à moi, de nous y asseoir. Elle alla ensuite rejoindre l'homme, et tous deux chuchotèrent pendant que tout le monde dans la pièce faisait semblant de retourner à ses activités.

— J'aime tes poupées, dis-je à la fillette.

C'était elle qui semblait la plus facile à aborder, même avec sa mère à côté d'elle.

— Je n'ai jamais songé à les faire de cette façon. Tu dois être une fille intelligente.

Elle m'adressa un sourire rayonnant et se tourna vers sa mère, comme pour dire : « Elle est gentille; est-ce que je peux jouer avec elle? » Avant qu'elle ait eu sa réponse, l'homme marcha vers le milieu de la pièce et nous observa, prudent.

— Je m'appelle Balmoral, et vous êtes chez moi ici.

Il désigna l'intérieur d'un grand geste de la main.

— Grindall nous fait travailler après la tombée de la nuit, la plupart du temps. Alors le souper est servi tard. Vous pouvez rester aussi longtemps que vous le voulez et, si vous n'avez pas mangé, nous servirons une marmite de soupe à l'oignon et à la pie d'ici une heure.

Il plaça une main sur un côté de sa bouche et se pencha vers nous en murmurant :

— En fait, c'est surtout des oignons et de l'eau, mais vous aurez un tout petit morceau de viande ici et là si vous êtes au début de la file.

Il sourit très légèrement et je me rendis compte qu'il était de nature hospitalière, heureux d'avoir de la compagnie inattendue, et curieux quant à la raison de notre visite.

— Enid, prends ton seau, puis marche jusqu'au lac, et reviens. Assure-toi que personne n'a vu entrer ces deux-là.

Une jeune femme, l'une des trois rencontrées plus tôt, traversa la pièce en coup de vent, saisit un vieux seau en bois et se dirigea vers la porte. Margaret retira la planche de bois qui bloquait la porte et ouvrit. Une fois Enid sortie, Margaret referma la porte et remit la planche en place sur ses crochets de fer, nous enfermant tous de nouveau.

Je me mis alors à songer à la pie bouillie. Cette pensée, conjuguée à la forte odeur des oignons et aux odeurs corporelles, me fit mettre la main devant ma bouche et baisser la tête. Le monde entier répandait une odeur forte et poisseuse. J'aurais voulu pouvoir retourner dehors, près du lac, et respirer.

— Je sais, je sais. Les oignons sont un peu mûrs. Et on ne peut pas dire qu'on sent la rose, nous non plus!

Balmoral éclata de rire et je vis qu'il avait perdu l'une de ses incisives. Les femmes dans la pièce parurent le trouver drôle et se mirent à rire avec lui. Bientôt, je riais aussi. Même John, que notre situation rendait nerveux, sourit en promenant son regard autour de lui.

— Vous verrez que nous sommes une bande de joyeux lurons le soir, continua Balmoral.

Il s'était ressaisi, essuyant une larme au coin de son œil et laissant échapper un dernier petit gloussement.

— Notre avenir est lugubre, mais nous sommes ensemble et nous avons un endroit bien à nous où nous nous retrouvons au coucher du soleil. Nous vivons du mieux que nous le pouvons malgré le règne de Grindall.

Il retourna vers le feu et remua la braise avec son tisonnier. Des étincelles jaillirent et illuminèrent la pièce durant un instant; Balmoral mit un doigt dans la marmite noire qui était accrochée au-dessus du feu et le retira vivement.

— Je crois bien qu'on peut y mettre les oignons.

S'essuyant la main sur la manche de sa tunique brune, il adressa un regard affectueux à la femme qui épluchait les oignons.

— C'est ma femme, Mary, dit-il.

Il continua les présentations. J'appris que la fillette qui fabriquait les poupées avec des pelures d'oignon était Julia, sa fille. Margaret était sa sœur, de deux ans sa cadette, et les autres femmes s'appelaient Gwen, Rose et Enid.

— Elles sont toutes veuves, ajouta-t-il au sujet de ces dernières.

Puis, il s'inclina respectueusement, se redressa et nous regarda de nouveau.

— Une terrible maladie a dévasté la ville il y a un an, tuant une personne sur dix.

Balmoral sembla découragé durant un moment; de toute évidence, certains de ceux qui étaient morts comptaient parmi ses amis et lui manquaient. Mais il ne perdit pas beaucoup de temps à songer aux chagrins du passé, et reprit sa bonne humeur.

— Si ce que m'a dit Margaret est vrai, continua-t-il, il va falloir que nous discutions un peu, n'est-ce pas?

Mary, qui se tenait debout derrière lui, laissa tomber les oignons dans la marmite.

L'heure qui suivit s'écoula rapidement tandis que John et moi racontions aux Castaliens tout ce que nous savions. Nous commençâmes par l'histoire de Warvold et notre voyage, avant d'enchaîner avec les légendes d'Élyon et d'Abaddon, et de terminer avec le projet que nous faisions de libérer Renny et de vaincre Grindall. Durant tout ce temps, Balmoral buvait de la bière et se tenait près du feu, prenant de temps à autre une grande cuillère de bois pour remuer la soupe. Il se montrait très curieux et enjoué.

— Vous les appelez des ogres?

— Vous dites que son nom est Warvold?

— Vous avez une pierre, l'une des pierres spéciales?

Et il continua encore longtemps avec ses questions pendant que nous attendions la soupe.

Balmoral décrocha enfin la grosse marmite noire et la déposa sur le plancher en pierre devant lui.

— Les géants... les ogres, ils n'étaient pas si mauvais avant de... Bien, je suppose que vous les avez vus? demanda Balmoral en balayant la pièce du regard.

John lui fit part du dernier détail qu'il devait savoir : nous avions avec nous le dernier des géants, un vrai, qui n'était pas possédé par Abaddon et qui lutterait jusqu'à la mort pour libérer Castalia.

Cette information parut intéresser particulièrement Balmoral. Tandis qu'il remplissait des bols de soupe fumante, il considéra John avec un air sérieux que je ne lui avais pas vu jusqu'alors.

— Ainsi, c'est vrai, dit-il, un bol à moitié rempli dans la main. La légende se concrétise ce soir même.

La lumière vacillante se reflétait dans le blanc de ses énormes yeux enfoncés; Balmoral fixa le feu durant un long moment, laissant la soupe claire dégoutter de la grosse cuillère de bois dans la marmite. Soudain, il sembla sortir de son état de transe et continua à remplir d'autres bols de soupe.

Nous nous rassemblâmes autour de la table, la petite Julia s'empressant de trouver une place à côté de moi. Je fus étonnée de les entendre offrir une prière à Élyon et lever les mains pour lui rendre grâce et implorer son retour. Ils ne demandèrent pas d'être libérés et ne poussèrent pas de cris de désespoir. Au contraire, ils étaient reconnaissants d'avoir une soupe trop claire à la pie. Une fois la prière terminée, ils mangèrent lentement, burent de la bière et sourirent souvent. Je chatouillai Julia, ce qui la fit sursauter; elle rit et appuya sa tête contre mon bras et, tandis que nous jouions à la grande et à la petite sœur, je risquai une question aux Castaliens.

— Vous croyez qu'Élyon existe?

Balmoral commença à répondre, mais Margaret lui toucha doucement le bras et nous livra ses pensées.

— Des milliers de personnes ont souffert et sont mortes pour construire ce royaume de brutes, dit-elle en s'essuyant la bouche avec le coin de son tablier.

Sa voix tremblait comme un peu plus tôt.

— Nous sommes aux prises avec un mal immense depuis très longtemps et personne n'est venu nous aider. Mais, d'une certaine façon, ce mal nous réconforte, car son existence même nous prouve que les histoires qu'on nous a transmises sont vraies. Élyon est parmi nous, tout près, attendant dans l'ombre que la cruauté ait suivi son cours pour revenir nous sauver.

Malgré sa réponse émouvante, je restais sur ma faim.

— Oui… mais comment savez-vous qu'il reviendra? demandai-je. Il est parti depuis très, très longtemps. Assez longtemps pour que bon nombre de gens, là d'où je viens, ne se souviennent plus du tout de lui.

Margaret souleva sa cuillère pleine de bouillon, puis l'inclina, laissant couler le liquide, goutte à goutte, dans son bol.

— D'où vient l'eau? Et cet air que j'inspire et que j'expire? Je ne sais pas comment ces choses sont faites et pourtant, je vis.

Elle fit une pause, réfléchit et continua :

— Le mal domine mon peuple, mais les géants sont devenus des monstres, exactement comme le prédisaient les histoires. Et toi, tu arrives avec la dernière des pierres à ton cou, comme dans les histoires anciennes. Et d'où viennent ces histoires? Ou il s'agit d'un vilain tour de la part d'Abaddon, ou c'est la vérité. Je choisis de croire que c'est la vérité. Le temps est venu pour Abaddon de tomber et pour Élyon de revenir.

— Ils peuvent être tués, vous savez, dit Balmoral en se léchant les lèvres entre deux gorgées de bouillon.

Je le regardai sans trop comprendre ce qu'il voulait dire.

— Les ogres…. Ils peuvent être tués.

Il avala une autre grande gorgée de soupe, puis une gorgée de bière, de sa grosse chope en métal.

— Il suffit d'enfoncer la lame au bon endroit. Le seul problème, c'est que l'endroit en question est un peu difficile d'accès puisqu'il est situé sur le dessus de leur tête.

Prenant une gorgée de soupe à mon tour, je constatai qu'elle n'était pas aussi mauvaise que je l'avais craint. Mary y avait ajouté des fleurs sauvages, de la racine de cyprès et du gingembre, et je me surpris à apprécier la saveur prononcée des oignons, malgré les morceaux de pie caoutchouteux sur lesquels je tombais parfois.

— Ils portent une cotte de mailles qui leur protège la poitrine et le dos sous leurs haillons noirs, et des plaques de métal sur les épaules, les jambes et le cou, poursuivit Balmoral. Ils ont aussi des casques, mais leurs pauvres têtes sont tellement ravagées par les plaies béantes et les croûtes qu'ils ne peuvent pas les supporter. J'ai vu un ogre de près quand il plongeait sa tête dans un bac d'eau. Croyez-moi, ils sont dans un état épouvantable. C'est sur le dessus de leur tête que les blessures sont les pires. Ce n'est qu'une grosse plaie béante là-haut. Ça les rend quasiment fous de rage.

Il prit trois autres cuillerées de soupe qu'il but à grand bruit avant de lever les yeux et de remarquer que nous le fixions tous. Ses yeux exorbités et comiques allaient de l'un à l'autre pendant qu'une goutte de bouillon dégoulinait sur son menton poilu.

— Oh, oui, une lame enfoncée sur le dessus de la tête suffirait, je pense. J'en suis presque sûr, dit-il.

Puis, constatant qu'il avait toute notre attention, il continua :

— J'ai une idée qui pourrait clarifier les choses un peu

plus, si vous voulez.

Personne ne s'objectant, Balmoral jeta un coup d'œil nostalgique à son bol de bouillon à demi plein, posa sa cuillère de bois et s'essuya la bouche du revers de sa manche en lambeaux.

— Ce que vous ne devez jamais oublier, c'est l'ordre dans lequel les choses se sont déroulées, poursuivit-il.

J'étais déjà perplexe et Balmoral s'en aperçut. Il passa une main sur son visage barbu et reprit :

— Si Élyon a bel et bien tout créé depuis le début, il connaît des choses que personne d'autre ne connaît. Nous sommes arrivés bien après les séraphes, les géants et la contrée d'Élyon elle-même, alors Élyon doit certainement en savoir plus long à notre sujet que nous-mêmes. Mais est-ce que ce ne serait pas le cas aussi pour d'autres choses qu'il a créées, particulièrement les premières?

Je commençais à comprendre que Balmoral était plus futé que je ne l'avais cru en l'apercevant.

— Grindall et les ogres sont du côté d'Abaddon; ils sont les instruments du mal et incarnent la rage, la méchanceté et la tromperie. Mais nous avons choisi le camp opposé, contrôlé par Élyon, qui est juste, sage et bon.

Balmoral contempla de nouveau son bol et, succombant à la faim, il le porta à sa bouche, oubliant la cuillère et avalant le reste de sa soupe à grandes gorgées.

— Aaaah! C'est tellement plus intéressant de discuter le ventre plein, vous ne trouvez pas?

Il saisit sa chope de bière, but une très longue gorgée et éructa outrageusement. Il reprit ensuite le fil de ses pensées.

— De notre point de vue, Grindall et les ogres paraissent imbattables. S'attaquer à un ennemi aussi monstrueux serait sans doute téméraire. Mais laissez-moi revenir à ma déclaration de tout à l'heure et vous montrer pourquoi les choses ne sont peut-être pas exactement telles qu'on peut le croire.

Balmoral regarda autour de lui et réfléchit un moment pendant que Julia me serrait la main et se rapprochait encore.

— Ce que vous ne devez jamais oublier, c'est l'ordre dans lequel les choses se sont déroulées, répéta-t-il. Car voyez-vous, Élyon n'a pas créé que la contrée d'Élyon et des gens comme vous et moi. Il y a très longtemps, il a aussi créé Abaddon, et qui peut dire s'il n'a pas fait quelque chose d'inattendu à ce moment-là?

Balmoral baissa le ton.

— Un peu comme vous et moi pourrions façonner un personnage avec un peu d'argile, Élyon a fait d'Abaddon le plus brillant des séraphes, son ami et son aide. Si Élyon a été clairvoyant et qu'il a tout planifié à l'avance, et je dois présumer que c'est ce qu'il a fait, n'est-il pas possible qu'il ait prévu que les choses pouvaient mal tourner? Ou que son grand ami d'autrefois pourrait le trahir?

Balmoral se leva et se plaça devant le feu, sa silhouette se découpant sur la lumière qui dansait. Il prit une vieille pipe usée sur le manteau de cheminée carbonisé et l'alluma avec un bâtonnet qu'il avait plongé dans le feu. Promenant un regard nostalgique dans la pièce, il envoya une bouffée de fumée au-dessus de sa tête.

— Nous voilà, poursuivit-il, à l'heure d'affronter Grindall et une foule de géants répugnants, prêts à nous broyer la cervelle. Et pourtant, il y a peut-être encore de l'espoir. Et si Élyon avait tendu un piège qui se refermerait sur Abaddon seulement si ce dernier le trahissait? Je crois que c'est précisément ce qui s'est passé; et cela nous donne l'avantage qu'il était censé avoir.

Nous étions tous fascinés par les paroles de Balmoral. C'était un homme sage sous des dehors de paysan et, même s'il lui manquait une dent et s'il sentait la transpiration, il débordait d'idées et d'enthousiasme.

— Quand Abaddon a dirigé l'essaim noir contre les géants, il était fou de rage et, dans sa cruauté, il a pris tout le mal à sa disposition et l'a mis dans les créatures les plus puissantes qu'il pouvait trouver. En fait, les géants étaient gentils au début, mais maintenant qu'ils sont possédés par Abaddon, il ne reste plus en eux que la méchanceté, la haine et une fureur aveugle.

Il arrivait à la fin de son récit et se hâta de le terminer, toujours debout à côté du feu.

— Ah! mais le piège s'est refermé! Les géants ne peuvent pas contenir tant de mal sans que le mal s'échappe d'eux. Leur corps ne peut pas supporter autant de malveillance, et c'est pourquoi il est couvert de plaies, surtout la tête, où le mal danse comme du feu dans leur cerveau.

« On ne connaît pas la fin de l'histoire; elle ne nous a pas été révélée, ni à Abaddon d'ailleurs. Nous avons atteint la frontière entre ce que notre monde était et ce qu'il deviendra. Si nous ne vainquons pas les ogres et Grindall ici et maintenant, la folie d'Abaddon se propagera comme la peste à travers la contrée, semant le mal partout où elle passera. Le but d'Abaddon est clair : détruire toute l'humanité et chasser Élyon de la Dixième Cité. Alors seulement, son travail sera achevé.

— Vous parlez comme un homme que j'ai connu, un homme très sage, dis-je en songeant à Warvold dans ses moments de profonde réflexion.

— Je crois qu'Abaddon est tombé dans le piège, un piège qui rend sa puissante armée vulnérable à une attaque. Avec un peu de préparation, je pense qu'on peut défaire les ogres; tous, sauf les dix qui gardent la Tour obscure. J'ai bien peur que ceux-là nous posent un problème.

— Alors, il y en a 88 à l'extérieur du château et 10 à l'intérieur? demanda John.

— C'est exact. Et nous connaissons très bien les allées et venues des 88.

C'est Margaret qui avait répondu, prenant la parole après un long silence.

— Ils travaillent en deux quarts, l'un de jour et l'autre de nuit, et le changement de la garde se fait à l'aube et au crépuscule, continua-t-elle. Il y en a habituellement 44 qui patrouillent durant la nuit et 44 autres le jour. Quinze parcourent la vallée des Épines, dix autres, la forêt, et trois autres, les falaises au bord de la mer. Dix font leur ronde sur le quai, deux gardent la grille qui mène à la tour et quatre sont postés au pied de la tour.

— Et les géants qui dorment? demanda John.

— Il y a des casernes près de la Tour obscure, au bord du

lac, répondit Margaret. Je ne peux qu'imaginer quel endroit terrible ce doit être. La puanteur à elle seule doit être absolument épouvantable.

— Il y a un autre problème dont nous n'avons pas parlé, intervint Balmoral.

Se retournant, il retira une pierre du manteau de la cheminée et glissa sa main dans le trou. Lorsqu'il la ressortit, il tenait ce qu'on pourrait appeler une petite épée, d'environ 30 centimètres, avec un manche en bois primitif.

— C'est probablement l'une des très rares épées dont nous disposons à Castalia. Grindall ne permet pas qu'un paysan possède quelque arme que ce soit et il a tout fait pour s'assurer qu'il n'en resterait aucune. Nous n'avons pas d'armure, pas de casque, peu d'épées, et certainement pas d'arcs ni de flèches. Ce que nous avons est bien caché et je ne crois pas que cela monte à plus de quelques dizaines d'épées minables.

Au fil de la discussion, nous découvrîmes qu'il était possible de mettre la main rapidement sur des objets pouvant servir d'armes : des haches, des petits couteaux utilisés pour différentes tâches sur le quai. Mais leur nombre ne serait pas suffisant et notre manque de matériel de protection demeurait un problème. Nous étions pratiquement sans armes, et sans boucliers pour nous défendre. Notre ennemi, plein de colère et faisant trois fois la taille d'un homme, bénéficiait d'un avantage incontestable. La situation était désespérée.

À cet instant, on frappa frénétiquement à la porte. Margaret se trouvait le plus près de la porte et, après avoir regardé par un petit trou, elle enleva la planche. À notre grande surprise, Enid fit irruption dans la pièce et referma aussitôt la porte. Tremblante, elle tenta de glisser la planche dans les crochets, mais elle l'échappa. Margaret aida la jeune femme à la remettre en place.

Enid se tourna vers nous, hors d'haleine, et bredouilla :

— Quelqu'un les a vus! Les géants vont de porte en porte, à la recherche des étrangers aperçus sur le quai!

CHAPÎTRE 19

L'⊙OGRE

Nous nous regardâmes durant un bref moment; de faibles crépitements venant du foyer meublaient le silence. Soudain, quelqu'un frappa très fort à la porte. Julia enfouit sa tête dans le creux de mon bras et je la serrai contre moi.

— Un ogre! murmura Balmoral.

Il laissa tomber sa pipe, bondit vers la table et saisit sa fille, qu'il poussa dans les bras de sa mère.

— Toutes au fond de la pièce et couvrez les yeux de cette pauvre enfant, dit-il.

Toutes les femmes obéirent, sauf moi. Je me levai de table et me plaçai au milieu de la pièce avec John. De nouveau, on cogna à grands coups, si fort, si violemment que les murs tremblèrent et que des étincelles fusèrent dans la cheminée.

— Margaret! Viens vite! s'écria Balmoral. Débloque la porte, puis cours au fond de la pièce. Je vais monter sur le toit pour voir si je peux l'atteindre d'en haut.

Il disparut dans un coin sombre de la pièce et, avant que quiconque ait pu l'arrêter, il grimpa sur une échelle de fortune, fit basculer un abattant et sortit.

Margaret était si effrayée qu'elle pouvait à peine parler. Elle avança petit à petit vers la porte, mais lorsqu'on frappa encore si fort que la porte faillit sortir de ses gonds, elle recula dans l'ombre où les autres étaient assises, contre le mur, effrayées. Je me tournai vers John.

— Veux-tu que j'ouvre? demandai-je, les mains tremblantes tandis que je m'emparais d'un fer et que je marchais vers l'entrée.

John approuva d'un signe de tête, levant sa petite épée dans les airs devant lui. Un instant plus tard, j'étais devant la porte et je fis glisser la planche. Il y eut un dernier grand coup contre la porte, qui céda. Le bras massif de l'ogre me projeta au sol, au centre de la pièce.

Il était si énorme, si horrible… L'espace restreint le faisait paraître encore plus imposant. Son immense tête tuméfiée, ses épaules voûtées, la terrible odeur qui se dégageait de son corps en putréfaction… Les femmes hurlaient tandis que l'ogre virevoltait furieusement dans la pièce en grognant, jusqu'au moment où il s'immobilisa et me fixa, une épaisse matière verte et rouge dégoulinant de sa lèvre inférieure. John sauta sur la table et brandit son épée pour me protéger. Lorsque le monstre se tourna vers lui, je rampai entre ses jambes gigantesques pour aller me réfugier en lieu sûr.

Debout sur la table, John était presqu'aussi grand que l'ogre. Le monstre dégaina son épée géante et la tendit vers celle de John. On aurait dit que John tenait un couteau à beurre et, de l'endroit où je me trouvais, je compris qu'il n'avait aucune chance de s'en sortir.

— Cours vers la porte, Alexa! Prends les femmes et l'enfant avec toi. Fais-les sortir pendant que j'accapare son attention!

Il faisait preuve de beaucoup de bravoure en me

demandant cela, sachant bien qu'il n'arriverait jamais à sortir vivant de cette pièce sans aide. Il était mon protecteur, mon ami. Je ne pouvais pas supporter l'idée de l'abandonner.

Au même moment, un son guttural venant de l'extérieur résonna dans la nuit.

— Aaaaaarrg!

Le peu d'espoir qu'il me restait fut anéanti alors que j'attendais les autres ogres qui n'allaient pas manquer d'entrer dans la pièce. Je serrai ma jocaste et implorai tout bas :

— Où es-tu, Élyon? Nous aideras-tu?

L'ogre se détourna de John et, en une enjambée, il fut à la porte. John en profita pour sauter de la table et attaquer la brute par-derrière. Il y eut un bruit métallique lorsque son épée heurta une armure. J'étais pétrifiée de peur, tapie dans un coin sombre de la pièce, observant avec une horreur muette l'ogre qui s'approchait de nouveau de mon ami.

— Cours, Alexa! Tu dois t'enfuir! hurla John.

L'ogre s'élança pour le frapper, non pas avec son épée, mais de son énorme main. Horrifiée, je vis John projeté contre le mur avec une force inouïe. Son corps glissa le long du mur et s'effondra sur le sol.

L'ogre se tourna dans notre direction et renifla l'air comme s'il avait senti quelque chose qu'il cherchait. Ses yeux se posèrent sur la pochette de cuir à mon cou.

— Aaaaaarrg!

C'était un autre grognement de l'extérieur, plus effrayant que le premier. J'étais certaine que ma vie et notre aventure se termineraient là, et que je serais réduite en morceaux par deux ogres dans le taudis d'un paysan.

L'ogre entendit le bruit et retourna à la porte, baissant sa tête hideuse pour sortir. Il regarda d'un côté et de l'autre, puis il émit un son épouvantable et commença à tituber. Il passa de nouveau sa tête dans l'embrasure de la porte. Quand il se tourna vers nous, nous pûmes voir le manche en bois d'une épée plantée dans sa tête.

L'ogre vacilla comme un ivrogne, les yeux exorbités et affolés, puis il laissa tomber son immense épée dans un fracas métallique. Il posa par mégarde un pied dans le feu et sa jambe s'enflamma. Il s'écroula alors sur la table, puis tomba comme une masse sur le sol. Balmoral sauta à bas du toit et atterrit sur le pas de la porte. L'air satisfait, il entra dans la pièce, épousseta ses vêtements et se planta devant le géant.

— Vous voyez, je vous avais bien dit que ça marcherait, déclara-t-il avec un large sourire.

Je le rejoignis et examinai l'ogre.

Au début, le monstre était parfaitement immobile. J'entendais le son faible et dégoûtant de ses boyaux qui se distendaient, le bruit de la mort qui se répandait dans la pièce. Mais tout à coup, l'un de ses longs bras se déploya sur le plancher; ses doigts tendus agrippèrent ma cheville et, d'une secousse, il me fit perdre l'équilibre. De ma jambe libre, je donnai des coups, pendant que Balmoral frappait la terrible créature encore et encore de ses poings nus. L'ogre me lâcha la jambe pendant un instant, puis son énorme main s'approcha de ma poitrine et se referma sur la pochette en cuir contenant ma jocaste. Balmoral continuait de s'acharner

sur l'ogre sans trop d'effet. L'ogre avait l'air tout à fait mort;
seule sa main demeurait crispée sur ce qu'il avait trouvé.

— Laissez-moi passer!

C'était John qui traversait la pièce, son épée à la main. Il
abattit l'épée sur le bras de l'ogre à maintes reprises, mais
c'était comme essayer de trancher du cuir usé de plusieurs
centimètres d'épaisseur. Étendue sur le sol, je regardai la
figure de l'ogre et, durant un bref moment, il ouvrit les yeux
et aperçut John qui le surplombait. La vue de ce dernier qui
le frappait sans arrêt avec son épée parut éveiller chez l'ogre
un peu de la rage qui sommeillait encore en lui. Plus vite
que je ne l'aurais cru possible, sa main lâcha la jocaste et son
bras s'éleva brusquement. J'étais libre, mais l'ogre avait
empoigné John par le cou et le tirait vers le plancher.

Je m'éloignai rapidement, criant à Balmoral de faire
quelque chose. Les yeux de John Christopher croisèrent les
miens à cet instant. Je m'attendais à y lire de la peur, mais il
me regarda simplement comme il l'avait toujours fait, l'air
paisible, souriant vaguement, comme s'il faisait exactement
ce qu'il était venu accomplir. Puis ses yeux se fermèrent et le
calme revint, rompu seulement par les pleurs étouffés des
femmes et de l'enfant.

J'étais assommée, incapable de réaliser ce qui venait de se
passer. Balmoral se rua sur la lame dans la tête de l'ogre et
l'enfonça encore davantage. Je savais que ce n'était pas une
bonne idée, mais je m'approchai quand même de John, me
moquant bien que l'ogre revienne encore à la vie. Je touchai
le visage de mon ami et fis la seule chose qui me parut avoir
du sens. Je plaçai mes deux mains sur la pochette autour de

son cou, l'ouvris et pris la jocaste bleue rutilante. L'ogre ne bougea pas, toute trace de vie ayant quitté son corps.

Je tins la pierre bleue dans la pénombre de la pièce et écoutai Julia gémir doucement dans le coin. La jocaste palpitait toujours, sa lumière comme un cœur en ses derniers instants. Je me dirigeai vers Julia et lui tendis la pierre. Elle la prit dans sa petite main et la jocaste palpita trois autres fois. *Boum, boum, boum.* Puis la dernière lueur bleu pâle s'évanouit, et je sus alors avec certitude que John Christopher n'était plus parmi nous.

La dernière jocaste pendait à mon cou. Toutes les autres avaient disparu à jamais.

CHAPÎTRE 20

LE SECRET DANS LE SAC DE CUIR D'ARMON

Le monde semblait être réduit à un seul fait : John était mort. J'aurais voulu que le temps s'arrête. Que tout s'arrête. Je voulais simplement rester là où j'étais et pleurer la mort de mon ami. Mais tout bougeait autour de moi, comme avant. J'étais toujours vivante et investie d'une mission qui passait bien avant mes propres besoins. La nuit était avancée et je savais que je devais rassembler mes choses et partir.

Balmoral avait rendu visite à son ami le boucher et lui avait dit ce qu'il fallait pour que les sacs soient remplis de viande. En entendant le récit de notre nuit horrible et nos plans pour libérer Castalia, le boucher s'était même donné la peine de trancher la viande en portions individuelles.

Je déposai un baiser sur la tête de Julia et nous nous étreignîmes. Je lui dis de se tenir prête et lui promis que les choses allaient s'améliorer bientôt. Balmoral et Margaret m'appelèrent à la porte; celle-ci se referma derrière nous. L'air frais de la nuit me parut réconfortant après la scène d'horreur qui s'était jouée à l'intérieur.

— Ni toi ni personne d'autre n'aurait pu faire quoi que ce

soit, dit Balmoral. L'ogre le tenait et aucune force n'aurait pu libérer ton ami.

Balmoral portait l'un des sacs remplis de viande; il aurait pris les deux si je n'avais pas insisté pour en porter un aussi. J'entendais ce qu'il disait, mais je n'écoutais pas, revoyant en esprit la pièce où je m'étais assise auprès de John pour pleurer. J'avais retiré l'ignoble main qui entourait son cou et fait de mon mieux pour lui dire au revoir. Nous le ramènerions à Bridewell, mais pour l'instant, je devais partir.

— Quelque chose est différent, dis-je.

Margaret me prit la main et tenta de me consoler, répétant que les choses allaient changer et que la mort de John ne serait pas inutile.

— Ce n'est pas ce que je veux dire. Je sens quelque chose que je n'ai jamais senti avant. Tout a commencé quand la jocaste de John s'est éteinte.

— Qu'est-ce que tu ressens? demanda Balmoral.

Il y eut un long silence avant que je dise la chose dont j'étais profondément convaincue.

— Élyon est tout près. C'est comme si je sentais sa présence suspendue à mon cou.

C'était une sensation étrange, à la fois réconfortante et effrayante. J'avais l'impression qu'une nouvelle présence s'était soudain rapprochée, merveilleuse, mais dangereuse aussi.

Nous marchâmes sans rien dire pendant quelques minutes et arrivâmes au bord du quai, ne faisant rien pour nous cacher des deux gardes.

Comme s'ils avaient reçu un signal, ils s'écartèrent,

saluèrent respectueusement Balmoral et nous laissèrent passer dans la nuit sans un mot. J'interrogeai Balmoral du regard.

— Ils travaillent peut-être pour Grindall, mais ce sont toujours des Castaliens.

Il me fit un clin d'œil et nous continuâmes en silence jusqu'à l'orée de la forêt, où Piggott attendait. Comme je l'avais prévu, il me questionna sans relâche.

— Qui sont ces gens?

— Où est John?

— Qu'est-ce qui vous a pris tant de temps?

— As-tu la viande?

Je lui fis un signe de la main et lui dis qu'il devrait attendre, pour obtenir des réponses, que nous soyons revenus à la tour de l'horloge. Lorsque nous pénétrâmes dans la forêt, Margaret me prit la main.

— Balmoral va t'accompagner et faire la connaissance d'Armon, dit-elle, mais je dois retourner à la maison et tout nettoyer avant l'aube. Le jour se lèvera dans quelques heures à peine. Avant que la nuit tombe de nouveau, nous devons être prêts à agir si nous voulons surprendre Grindall.

— Elle a raison, déclara Balmoral. Nous nous mobilisons et tentons une attaque demain soir, ou nous risquons de perdre l'avantage que nous avons maintenant. Un ogre est mort déjà et on remarquera son absence.

Margaret me serra dans ses bras et, n'eût été tout le travail qui nous attendait, je crois que je serais restée là et que j'aurais versé toutes les larmes de mon corps. Je me contentai plutôt d'une courte étreinte, pivotai et la laissai là, debout à la lisière de la forêt.

Nous regagnâmes rapidement la tour de l'horloge, où nous attendaient Murphy et Yipes. Nous laissâmes les deux gros sacs de viande au rez-de-chaussée afin que Piggott et Scroggs les distribuent à leur gré, puis nous gravîmes l'échelle; Murphy, posé sur mon épaule, me bombardait de questions.

Le dernier étage de la tour baignait dans une lumière grise et douce, réconfortante comme une tasse de lait chaud. Aussitôt parvenue en haut de l'échelle et dans la pièce, je m'écroulai dans un coin, complètement épuisée, et je me mis à sangloter sans pouvoir m'arrêter. Mon ami était parti pour toujours, le stress causé par ce qu'il nous restait à accomplir m'accablait et les nombreuses commodités de ma maison me manquaient. L'aventure s'était transformée et elle n'avait plus rien de fantaisiste. Déjà, nous avions payé très cher et, tandis que je pleurais, j'étais persuadée que nous paierions encore beaucoup plus avant que tout soit fini. Je levai les yeux et vis des visages silencieux et inquiets tout autour de moi; je réussis à me maîtriser suffisamment pour leur dire qui était Balmoral, puis je le laissai leur faire le compte-rendu de la soirée.

— Je serai bref. Nous n'avons pas une minute à perdre, dit-il.

Il entreprit de leur raconter notre rencontre avec l'ogre, les faiblesses que nous avions décelées dans leur défense et la mort de John.

Yipes eut le souffle coupé en entendant la nouvelle, tandis que Murphy venait vers moi et se pelotonnait sur mes genoux; c'était un geste silencieux et parfait. Armon resta d'abord immobile, puis il ferma les yeux et baissa la tête. Odessa aussi baissa lentement la tête, jusqu'à ce que son museau ne fût plus qu'à quelques centimètres du sol.

— Il a été brave, très brave, dit Balmoral. Il a tenu bon afin de protéger les innocents et, si nous remportons la bataille qui nous attend, on se souviendra toujours de sa mort comme de l'événement qui a déclenché la fin du règne de Grindall.

Armon releva la tête, regarda Balmoral droit dans les yeux et lui demanda :

— De quels pouvoirs disposes-tu pour rassembler ton peuple?

— C'est moi qui serais le chef si Grindall nous permettait d'en avoir un, répondit Balmoral.

Étonnée, je considérai cet homme simple et frêle. Pendant tout ce temps, j'avais côtoyé le vrai chef des Castaliens et je n'avais rien vu de plus en lui qu'un homme brisé aux idées fantasques.

— Je peux rassembler 200 hommes qui seront prêts à se battre demain, à la tombée de la nuit. Mais nos armes sont primitives : des pierres, quelques dizaines de couteaux et aucune armure digne de ce nom. Les 50 gardes castaliens qui travaillent pour Grindall n'ont même pas d'épées. Ils n'ont qu'une corne d'appel dans laquelle ils soufflent en cas d'ennuis, et alors les ogres accourent. Je n'ai pas de solution à ce problème.

Pendant un long moment, Armon dévisagea Balmoral et, même s'il ne pouvait pas se tenir debout dans un si petit espace, il se releva et posa un genou par terre.

— Je ne pense pas que cela pose problème, dit-il.

S'emparant du grand sac de cuir qu'il portait depuis que je l'avais rencontré, il défit le cordon qui en fermait le dessus et vida le contenu au milieu de la pièce. Des épées tombèrent les unes après les autres. Puis ce furent des cottes de mailles, des boucliers, des arcs et des flèches. Le sac semblait contenir un assortiment infini d'armes. Il devait peser près de 100 kilos, et je fus de nouveau ébahie par la force surhumaine d'Armon. Balmoral ouvrit des yeux grands comme des soucoupes et il se mit à rire avec excitation, touchant les différents objets et les prenant dans ses mains.

— Je pense que le temps est venu de commencer à planifier, dit Armon.

Sur ces mots, il se retourna et sauta par la grande fenêtre. Un moment plus tard, nous entendîmes une plainte et Piggott fut hissé par des mains géantes sur l'appui de la fenêtre. Ce fut ensuite au tour de Scroggs. Puis Armon lui-même remonta dans la tour et écarta toutes les armures pour que nous puissions nous asseoir au milieu de la pièce.

Nous formions un cercle, moi, Armon, Balmoral, Yipes, Murphy, Odessa, Piggott et Scroggs. Balmoral déplia une carte à laquelle il travaillait depuis plusieurs mois et la plaça au centre du cercle. Tracée à l'encre noire sur du papier-parchemin, la carte indiquait la position de chaque ogre.

— Je ne sais pas lire ni écrire, mais ce dessin ne pourrait pas être plus précis. Je vous l'aurais montré plus tôt, mais avec tout ce qui s'est passé…

Balmoral s'interrompit, jeta un coup d'œil vers moi, puis

fixa la carte. Il lui fallut quelques secondes pour se ressaisir, mais il était tellement énergique et passionné que, bientôt, il fut de nouveau captivé par le plan. Il reprit d'abord en détail tous les événements de la soirée, accordant une attention spéciale à la rencontre avec l'ogre et à la façon dont il avait été vaincu. C'était totalement grotesque d'entendre Balmoral expliquer à quel point la lame s'était enfoncée facilement dans la tête de l'ogre, comme si son crâne eût été en gélatine et non en os.

— Le premier défi consistera à dissimuler le fait que des ogres disparaissent durant le jour et la nuit. Les ogres ont connaissance de leurs allées et venues respectives, peut-être pas entre les différents territoires, mais à l'intérieur de la forêt ou de la vallée des Épines, par exemple. Ils s'attendent à se croiser régulièrement. Pour résoudre ce problème, nous devrons cibler systématiquement un territoire après l'autre. Les endroits où il sera le plus facile d'intervenir sont le quai et la forêt. Les toits des maisons et les arbres, sans compter les armes qu'Armon a fournies, nous donneront un avantage.

« Les gardes qui travaillent pour Grindall sont tous des Castaliens d'abord et avant tout. Ils ne sont pas armés, mais ils ont deux choses dont nous pouvons tirer parti : la mobilité et la possibilité d'envoyer des signaux d'avertissement. Je parlerai des signaux dans un instant. Quant à la mobilité, la tâche de certains gardes consiste justement à patrouiller dans la forêt, en compagnie des ogres. D'autres surveillent le quai et d'autres encore incluent la cité des Chiens dans leur ronde. À vrai dire, les rondes dans la cité des Chiens sont devenues de plus en plus rares au fil des années, car les chiens sont maintenant plus sauvages, et les alentours du dépotoir, inhabitables. C'est un territoire souvent oublié par les ogres et les hommes, ce qui est une véritable chance pour nous.

Balmoral regarda Piggott et Scroggs nerveusement, comme si les chiens lui enlevaient son assurance, puis il s'adressa directement à eux :

— Je ne peux pas vous comprendre, mais si vous, vous pouvez me comprendre, sachez que votre rôle dans cette conquête est d'une importance capitale. Sans vous et vos meutes, nous n'avons aucune chance de remporter la victoire.

Piggott et Scroggs étaient assis, droits et fiers, et j'étais heureuse de les voir prendre part à quelque chose d'aussi grand et crucial. Balmoral passa une main sur la carte tout en continuant à expliquer son plan.

— Regardez la porte de la cité des Chiens, ici; je peux y envoyer cinq gardes demain matin. Ils diront à l'ogre qui surveille l'entrée que le dépotoir n'a pas été patrouillé depuis longtemps et qu'ils prévoient passer plusieurs heures à l'inspecter. Les ogres les laisseront faire, se disant que leur requête est légitime. Alors je les enverrai directement à la tour de l'horloge où ils pourront s'armer et se placer dans les arbres ici, près de la lisière de la forêt.

Il désigna l'endroit sur la carte où la forêt rejoignait la cité des Chiens.

— Le reste des armes devra être caché quelque part dans le dépotoir. Mes compagnons les feront passer clandestinement en les plaçant dans les charrettes à ordures venues vider leur chargement, y laissant juste assez de débris pour couvrir les armes qu'elles peuvent contenir. Tous les jours, le déchargement des ordures commence tôt le matin, au rythme d'environ une charrette à l'heure. Au milieu de la matinée, toutes les armes seront parvenues au quai. Un réseau de paysans les distribuera et, quand le soleil sera au zénith, 200 Castaliens seront armés et prêts à se battre.

En écoutant le plan de Balmoral, nous commencions à croire que nous aurions au moins une chance de gagner. Je grignotais quelques fruits secs tandis qu'il poursuivait ses explications, dodelinant de la tête de temps à autre alors que je luttais contre le sommeil. J'étais très fatiguée, mais Balmoral faisait preuve de tellement d'enthousiasme que c'était difficile de songer à dormir.

— Il faut s'occuper de la forêt d'abord. Nous devons remporter cette victoire décisive si nous voulons réussir. Maintenant, comme je l'ai promis, discutons des signaux d'avertissement utilisés par les gardes. Ils utilisent des cornes qui peuvent émettre des sons de différentes intensités. Quand ils cornent fort, ce sont tous les ogres du royaume qui accourent. S'ils soufflent doucement, seuls les ogres qui sont à proximité entendent le signal. C'est un outil dont nous pouvons tirer parti. Les 10 ogres qui patrouillent dans la forêt sont éparpillés. Nous cornerons donc très doucement du haut des arbres, aux limites de la cité des Chiens. Un à un, ou peut-être deux à la fois, les ogres viendront au secours du garde qui aura envoyé le signal. Lorsqu'ils surgiront, nous les attaquerons de notre poste, dans les arbres. Les ogres possèdent également des cornes et il est absolument primordial que nous les attirions graduellement, un à la fois, afin de ne pas éveiller les soupçons. Ces ogres sont très arrogants et ils n'utiliseront leur corne que si la situation est désespérée.

« Nous éliminerons les 10 de la forêt d'abord, puis nous nous déplacerons vers l'orée de la forêt, là où elle rejoint la vallée des Épines. Nous utiliserons alors la même tactique, attirant les ogres à la lisière de la forêt et de la vallée, où nous les attaquerons. Nous serons alors aussi loin que possible du quai et de la Tour obscure. Certains des ogres surveillent le périmètre extérieur; nous pourrons donc corner avec un peu plus de force, en attirer quelques-uns à la fois et les attaquer par groupe de trois ou quatre.

— Oui, mais comment pouvons-nous être sûrs que les ogres, que ce soit dans la cité des Chiens ou dans la forêt, arriveront exactement au bon endroit pour que nous puissions les surprendre? demanda Yipes.

— Un garde les appellera et, quand l'ogre ou les ogres approcheront, il les guidera vers l'endroit où nous serons cachés, en haut, dans les arbres. Il suffira de créer une diversion, répondit Balmoral.

— Les chiens sauvages, dit Armon. Nous pouvons attirer les ogres autour d'un seul arbre avec trois ou quatre chiens. Ils n'auront qu'une chose en tête, tuer les chiens, ce qui nous permettra de les prendre par surprise.

— Là, tu m'as coupé l'herbe sous le pied, lança Balmoral. Méchant géant.

Je ne pus m'empêcher de sourire, ce qui ne m'était pas

arrivé depuis un bon bout de temps.

— Il est peu probable que tous les ogres de la vallée des Épines se rendent dans la forêt, poursuivit Balmoral. Nous pourrons nous estimer chanceux si nous attrapons la moitié d'entre eux, ce qui en laisserait sept ou huit errant dans les environs. La vallée des Épines donne sur la forêt et souvent, à la fin de la matinée, les ogres se réfugient à l'ombre des arbres pour se protéger de la chaleur. Malheureusement, nous ne pouvons pas savoir quels arbres ils choisiront pour s'abriter; il faudra donc avoir recours aux chiens encore une fois.

« Les chiens sauvages ne s'aventurent jamais à l'extérieur de la cité des Chiens et le fait d'en voir quelques-uns qui tentent de traverser la vallée des Épines enragera les ogres. Ceux qui restent viendront à l'orée de la forêt, où nous les attendrons. Ce sera certainement notre plus grand défi; si nous en manquons un seul, ce sera comme si nous les avions tous manqués. Celui-là cornera, et les portes des casernes où logent les ogres s'ouvriront toutes grandes, relâchant une armée que nous ne pourrons jamais vaincre.

Nous nous regardions tous, conscients que nous risquions très gros. Je ne pouvais penser à rien d'autre qu'à l'ogre dans la pièce avec John et les autres, à son odeur, à son apparence et aux terribles sons qu'il avait émis. Seuls Balmoral et moi avions vu un ogre de si près et avions été témoins de sa rage meurtrière. J'étais contente que les autres n'aient pas été là.

— Tout cela devra se dérouler demain matin, en quelques heures seulement, insista Balmoral, entre l'aube et neuf heures. Si les gardes du quai s'absentent trop longtemps, l'ogre à la porte aura des soupçons. D'autres gardes de la forêt et de la vallée des Épines vous aideront. Une fois la forêt débarrassée des ogres, six autres combattants se joindront à vous. Lorsque vous aurez rejoint les derniers ogres qui restent dans la vallée des Épines, vous devriez trouver une dizaine d'alliés dans les arbres. Avec Yipes et Alexa, cela fera un total de 14.

— Et Armon? demandai-je. C'est notre arme la plus puissante. Où sera-t-il pendant tout ce temps?

Balmoral indiqua du doigt, sur sa carte, les falaises au-delà de la cité des Chiens, puis il se tourna vers Armon.

— J'ai bien peur que tu doives trouver le moyen de détruire seul les trois ogres qui surveillent les falaises. Pour cela, tu devras les combattre à mains nues, trois contre un. Pire encore, tu devras t'assurer qu'ils ne peuvent pas utiliser leurs cornes.

Balmoral jeta un autre coup d'œil à la carte et ajouta :

— J'ai eu l'occasion de voir cet endroit. Les falaises s'élèvent très haut, au-dessus de l'eau, mais personne ne sait à quelle hauteur exactement. Même au cœur de l'été, la brume se lève et cache l'eau tout en bas. Le bord des falaises est solide et constellé de rochers pointus.

— Je vais emmener Scroggs avec moi, dit Armon. Piggott et Odessa, vous accompagnerez les autres. Scroggs, emmène six de tes amis les plus fiables. Ensemble, on distraira les ogres l'un après l'autre, on les entraînera au bord des falaises et on les jettera dans la brume.

Armon paraissait sûr de lui, déterminé. Cela raffermit

notre confiance.

Balmoral approuva le plan d'Armon d'un signe de tête.

— Pendant que vous vous occupez de la forêt, de la vallée des Épines et des falaises, je vais guider mes amis sur le quai. La seule façon de réussir est de frapper sur le quai tous en même temps, hors de vue des grilles de la Tour obscure. Le quai est divisé en deux sections : l'une du côté de la forêt, l'autre du côté de la Tour obscure. Cinq ogres surveillent chacune d'elles, ou plutôt quatre du côté de la Tour, puisque l'un d'eux a été tué cette nuit. Ils sont assez ponctuels dans leurs déplacements. Une heure avant la tombée de la nuit, nous attaquerons les neuf qui restent et retirerons leurs corps des rues avant qu'il fasse noir. Je ne pense pas qu'au matin on s'apercevra de l'absence de celui qu'on a tué. Souvent, les ogres rejoignent leurs quartiers en groupe et il y a parfois des traînards qui arrivent plus tard, retenus par une tâche particulière. La plupart du temps, ils finissent par s'endormir sans se soucier les uns des autres. C'est quand il sera temps de retourner au travail qu'on remarquera son absence; il faut donc agir tout de suite.

— Pour l'instant, disons que le plan fonctionne, dis-je. Les 44 qui restent dans les quartiers anéantiront tous nos efforts dès leur réveil. Comment pourrons-nous les affronter tous en même temps?

— Dans la mesure où nous n'approchons pas de la grille du château, le plan fonctionnera, répondit Balmoral. Les ogres observent la même routine tous les jours. Ils se réveillent, mangent, se dirigent vers la grille et se dispersent vers les différents endroits où ils doivent aller travailler et remplacer les ogres du quart précédent. Pour ce faire, ils suivent la même route à partir du château jusqu'au quai. Une fois qu'ils ont franchi la grille, ils font 20 pas d'ogre, prennent un virage serré et empruntent un long passage étroit bordé de maisons des deux côtés. C'est là que nous les attaquerons tous en même temps, tous sauf ceux qui se relaient à la grille et autour de la Tour obscure. J'ai un autre plan pour ceux-là. Mais les 37 qui prendront le chemin étroit et sombre n'auront aucune idée de ce qui les attend. Deux des nôtres, chacun armé d'épées, seront jumelés à un ogre. Ils seront postés sur les toits des maisons à quelques mètres de distance. Chaque monstre recevra un premier coup d'épée, puis un second au cas où le premier aurait raté la cible.

Nous fixions tous Balmoral; la victoire se lisait déjà dans ses yeux globuleux, et nous y croyions. Nous en étions venus à croire que nous pouvions vaincre les ogres, Grindall et même Abaddon. Si nous parvenions à faire tout ce que Balmoral avait proposé, il ne resterait que les quatre ogres à la grille et les huit autour du château, à la fois ceux qui seraient déjà à leur poste et ceux venus les remplacer. Ce qui ferait 12, plus les 10 dans le château. Grâce au plan de Balmoral, nous passerions de 98 ogres à 22 en une journée seulement. Pourtant, même 22 ogres constituaient une redoutable armée, étant donné leur stature et leur force.

— Je sais ce que vous pensez : il reste quand même 12 ogres à l'extérieur et 10 à l'intérieur, dit Balmoral, comme s'il lisait dans mes pensées. Les ogres à la grille entendront le vacarme et ils accourront. Ils seront des cibles faciles pour mes hommes. Mais que faire des ogres qui demeurent autour de la Tour obscure? C'est à ce moment-là qu'il faudra prendre la tour d'assaut. Deux cents Castaliens armés, une centaine de chiens sauvages et notre propre géant tous contre ceux qui restent : 8 ogres au pied de la Tour obscure et 10 à l'intérieur.

Balmoral s'interrompit et promena son regard dans la pièce, qui n'était éclairée que par la faible lueur de notre bougie presque consumée.

— Je crois qu'à ce stade, nous aurons créé un combat égal, un combat juste, un combat dont l'issue sera imprévisible.

C'était beaucoup mieux que de ne pas avoir de combat du tout, et nous approuvâmes le plan de Balmoral à l'unanimité. Au moins, nos préparatifs étaient faits. Balmoral rentra chez lui pour refaire ses forces et je pus m'allonger sur le plancher froid de la tour de l'horloge. Alors que j'étais couchée là, à moitié endormie, mon esprit fut peu à peu envahi par des images de ce que nous pourrions trouver dans la Tour obscure. Je commençai à me demander ce que Catherine dirait en me voyant, si elle était toujours en vie. Et je me demandai pour la première fois de quoi Grindall avait l'air, comment il agirait, ce qu'il dirait.

Murphy resta avec moi et nous chuchotâmes tristement à propos de John. Puis nous nous endormîmes, épuisés par tout ce que nous avions vécu depuis notre arrivée dans la cité des Chiens.

CHAPÎTRE 21

LA TOUR OBSCURE

L'air du matin était frais et agréable, d'autant plus que nous étions perchés haut dans un arbre à l'orée de la forêt, les odeurs de la cité des Chiens ne nous parvenant que de loin. Yipes et moi étions assis l'un près de l'autre, cachés dans le feuillage d'un gigantesque chêne, à plus de quatre mètres du sol. Murphy était encore plus haut, à neuf mètres au moins, scrutant les environs à la recherche d'ogres. Je saisis fermement ma nouvelle épée de ma main droite et m'agrippai à une branche de l'autre.

Je me tournai vers Yipes, installé à ma droite quelques branches plus loin, et vis qu'il préparait son arc. Contrairement aux Castaliens, il maniait très bien l'arc. Après délibération, nous avions convenu que c'était la meilleure arme pour lui. Je jetai un coup d'œil à un gros arbre de l'autre côté du chemin et constatai que deux gardiens castaliens étaient à leur poste, attendant patiemment. Au-dessous d'eux se trouvaient trois chiens sauvages qui tournaient en rond autour de l'arbre.

Squire décrivait des cercles au-dessus de nous, inspectant le royaume dans son entier. Encore une fois, j'aurais voulu être à sa place, voir tout ce qu'elle voyait, connaître la position de chacun des ogres.

— Je connaissais John depuis longtemps, dit soudain Yipes.

Je sursautai en l'entendant. Odessa et les deux chiens au pied de notre propre arbre cessèrent de faire les cent pas au son de sa voix.

— Il a eu une vie difficile, continua Yipes un peu plus doucement, mais il ne s'est jamais plaint, pas une seule fois. Même s'il ne t'avait jamais rencontrée, il parlait souvent de toi.

— Que disait-il? demandai-je.

— Il s'inquiétait pour toi. Il savait qu'il était de son devoir de te protéger. C'était la tâche la plus importante que Warvold lui ait jamais confiée. Jusqu'à ce que nous commencions ce périple, je n'avais jamais compris de quoi John parlait exactement; mais aujourd'hui, il est clair qu'il savait depuis le début qu'il allait peut-être donner sa vie pour te protéger. Il est mort en vous protégeant, toi et la dernière jocaste, et c'est précisément ce à quoi il s'attendait.

Yipes me sourit alors, sa mignonne petite moustache couvrant sa lèvre supérieure. J'eus soudain très peur de le perdre aussi.

— T'a-t-il jamais dit pourquoi il avait été emprisonné? demanda Yipes.

— Non. Je le lui ai demandé un jour durant notre voyage, mais il ne m'a pas répondu.

Yipes changea de position sur sa branche, tripotant son arc.

— Un groupe de femmes et d'enfants vivait dans la forêt, expliqua-t-il à voix basse. On raconte que John était particulièrement affecté par la situation des enfants, au point qu'il volait dans les cuisines et les magasins d'Ainsworth à la recherche de nourriture et de vêtements pour eux. Cela a continué pendant quelque temps, et ses efforts portaient fruit, jusqu'au jour où il fut arrêté et enfermé avec les autres criminels.

— Est-ce que c'est la vérité? demandai-je d'une voix un peu plus forte que je ne l'aurais voulu.

Yipes se contenta d'acquiescer de la tête et, avant que j'aie pu lui poser d'autres questions, l'un des chiens au-dessous de nous aboya dans notre direction.

— Silence! gronda Odessa en bas.

On entendit alors le faible son de la corne dans laquelle soufflait le garde debout à notre gauche. Mon cœur battait à tout rompre et j'avais les mains moites tandis que nous attendions la suite.

Nous étions tous immobiles; tout à coup, Murphy descendit à toute vitesse et s'agrippa solidement au tronc de l'arbre à côté de moi.

— Accroche-toi, ils arrivent! dit-il.

Cela signifiait qu'il y en avait plus d'un; je lui montrai deux doigts et Murphy hocha la tête.

Il régnait un silence de mort : pas de vent dans les arbres, pas de cris d'oiseaux ni d'animaux. Les ogres étaient en route; je sentais leur présence. J'entendis bientôt le craquement des brindilles et des broussailles, puis j'aperçus l'une des hideuses créatures avançant sur le sentier, manifestement irritée et cherchant frénétiquement du regard le garde qui l'avait appelée. Un autre ogre arriva en bondissant derrière lui, se grattant la tête et grognant furieusement. Comme ils se dirigeaient vers le garde, je me tournai vers Yipes. Il avait déjà tendu son arc et le tenait fermement, attendant le moment où l'un des ogres, ou encore les deux, se tiendrait au-dessous de nous.

Alors que le garde et les ogres s'approchaient entre les deux arbres, les chiens se mirent à aboyer sans arrêt, exactement comme prévu. Les deux ogres se séparèrent, l'un allant vers l'arbre d'en face, l'autre vers le nôtre. Celui qui s'était approché de nous était monstrueux; sa tête n'était qu'à un mètre au-dessous de nous. Les chiens restèrent au pied de l'arbre, puis ils reculèrent en se collant au tronc, pour attirer l'ogre encore plus près. Ce dernier dégaina son énorme épée et parut se divertir de ce qu'il voyait, excité à l'idée d'enfoncer sa lame dans ces animaux galeux.

Je regardai de nouveau de l'autre côté du sentier et vis que le deuxième ogre s'était aussi approché et se trouvait directement au-dessous de l'arbre, attaquant les chiens avec son épée. Un garde surgit de l'épais feuillage, à un mètre au-dessus de la tête de l'ogre. Il se jeta dans le vide, atterrit sur les épaules de l'ogre et planta son couteau dans la tête de la brute. Presque au même moment, Yipes décocha sa flèche en direction de l'ogre sous notre arbre, mais le géant s'était retourné après avoir entendu le cri de l'autre ogre, malgré les aboiements incessants des chiens. La flèche dévia sur sa tête et le heurta à l'épaule. Le monstre poussa un épouvantable rugissement de douleur et de rage. Nous ne disposions que d'un instant avant qu'il s'empare de sa corne et envoie un signal; alors les deux compagnons d'Odessa se ruèrent sur ses jambes et le mordirent solidement. L'ogre donnait des coups de pied et se débattait, mais les chiens ne lâchaient pas prise; ils se seraient battus à mort. L'ogre se pencha et saisit les deux chiens par le cou. Je poussai un cri, ce qui incita la créature à lever les yeux, juste au moment où Yipes tirait de nouveau; cette fois, il toucha l'ogre en plein front. À mon grand étonnement, la flèche disparut presque complètement dans la tête de l'ogre. Il tituba un peu vers la gauche comme s'il bougeait au ralenti, puis il tomba en arrière, s'écrasant par terre au pied de l'arbre.

Je descendis rapidement de l'arbre sans trop m'approcher du corps du géant, me rappelant ce qui était arrivé à John. Je fus quand même surprise de voir l'ogre s'asseoir lentement et s'appuyer contre l'arbre. Il prit sa corne et tenta de la porter à sa bouche, mais une flèche arriva d'en haut et transperça la paume de sa main. Je bondis, saisis la corne et m'éloignai aussitôt. L'ogre chancela encore une fois et retomba sur le sol, les chiens lui tenant toujours fermement les jambes.

De l'autre côté du sentier, les gardes avaient remporté le combat, eux aussi, et ils nous appelaient déjà pour les aider à traîner l'ogre mort dans le fourré. Tout n'avait pas été à la perfection, mais nous avions réussi. Nous avions vaincu deux ogres en quelques minutes seulement.

Le reste de la matinée se déroula passablement de la même manière, mais j'en garderai pour moi les détails horribles. Nous parvînmes à attirer tous les ogres de la forêt. En plus de l'incident de la flèche incontrôlable que Yipes avait tirée, nous éprouvâmes d'autres difficultés. Des gardes furent tués, des chiens sauvages aussi, et six ogres étaient toujours vivants lorsque nous arrivâmes à l'orée de la forêt près de la vallée des Épines. Dix gardes étaient éparpillés parmi les arbres et plus de 50 chiens faisant les cent pas au-dessous de nous, mais les ogres qui restaient n'étaient pas suffisamment près pour qu'on puisse les piéger. Avant que ces ogres aient pu songer à corner, six de nos gardes donnèrent le signal d'avertissement, pas assez fort pour qu'on l'entende du quai, mais plus fort que nous avions osé le faire dans la forêt. Avec tant de cornes donnant le signal simultanément, les six ogres qui restaient ne pensèrent pas à en faire autant. Ils accoururent plutôt pour aider, convaincus que tous les ogres de la forêt feraient de même. Quand ils atteignirent les arbres, les chiens commencèrent à aboyer et, aussitôt, les flèches et les coups d'épée se mirent à pleuvoir sur les ogres. Quelques minutes plus tard, nous avions éliminé les ogres qui restaient dans la vallée des Épines.

En tout, nous perdîmes 13 chiens et 2 gardes. Un autre garde fut violemment secoué lorsqu'un ogre le projeta contre un arbre, mais il réussit à continuer; ses quelques côtes cassées ne l'empêchaient pas de prendre part à une tâche aussi importante. C'était le milieu de la matinée et nous avions accompli quelque chose de miraculeux, préparant le terrain, du moins nous l'espérions, pour de plus grandes victoires dans les heures qui suivraient. Nous retournâmes à toute allure à la tour de l'horloge, où Armon et Scroggs nous attendaient. Eux aussi avaient remporté la victoire sur les falaises, au bord de la mer. L'un des ogres avait été tué dans son sommeil alors que les deux autres, attirés par les chiens vers les falaises, avaient été poussés par-derrière par Armon.

Balmoral avait songé à tout et, quand nous arrivâmes à la

tour de l'horloge, Margaret nous accueillit avec des vêtements propres. Les gardes troquèrent leurs uniformes puants et tachés de sang pour des propres. Ceux qui s'étaient joints à nous plus tôt dans la journée retournèrent vite vers le quai, sans doute pour recevoir d'autres armes et de nouvelles instructions de Balmoral.

— Je dois partir, dit Margaret. Je ferai part à Balmoral de votre victoire. Restez ici jusqu'à une heure avant la tombée de la nuit, puis allez attendre dans les arbres près du quai. Demeurez cachés jusqu'à ce qu'un feu soit allumé près du lac, puis venez aussi vite que possible.

Nous lui dîmes au revoir et proposâmes que Piggott et Odessa l'escortent dans la cité des Chiens, ce qu'elle accepta.

L'attente commença, les minutes s'écoulant à un rythme qui nous paraissait affreusement lent. Nous mangeâmes en parlant de notre exploit et de ce que nous ferions sur le quai. Nous discutâmes de l'essaim noir qui était toujours dans les parages, à la recherche d'Armon, et de la crainte que nous éprouvions pour lui à mesure que nous approchions du château. La pensée que cette créature parfaite pût être mutilée par un millier de chauve-souris m'était insoutenable, et je suppliai Armon de rester à la tour. Mais il n'avait pas plus envie que moi de demeurer dans la cité des Chiens pendant qu'une rencontre décisive se déroulerait à la Tour obscure.

Au fil des heures, le jour finit par se teinter d'orangé et toute notre armée prit la direction du quai : des dizaines de chiens sauvages, un tout petit homme, un écureuil, une fille, un petit nombre de gardes castaliens de la forêt et de la vallée des Épines, et un géant. Nous ne correspondions pas à l'idée qu'on pouvait se faire d'une armée qui gagnerait une telle bataille, mais ensemble, nous avions vaincu 28 ogres, et nous marchions avec confiance, sachant que nous avions au moins une chance de remporter la victoire. Les chiens en particulier affichaient une fierté nouvelle dans leur démarche et dans leur port de tête. J'étais contente pour eux, pour leur nouveau sens du devoir.

Nous attendîmes comme on nous l'avait demandé, guettant en silence que la flamme surgisse au bord du lac tandis que le jour tombait à l'horizon. Je pouvais voir la Tour obscure au loin et j'imaginais Grindall lui-même se tenant debout au sommet, contemplant son misérable royaume, convaincu que tout allait bien au moment où le soleil déclinait jusqu'à disparaître par-delà le lac qui miroitait.

— Voilà le feu, dit soudain Yipes, qui était assis sur les épaules d'Armon.

Sur ces mots, nous nous mîmes tous en route en vitesse, les chiens bondissant devant nous et courant de toutes leurs forces ; Armon allait à la même allure, grâce à ses immenses enjambées, avec Yipes et Murphy sur ses épaules. Je fermais la marche, courant aussi rapidement que je le pouvais pour les suivre, mais je me retrouvai vite derrière.

— Allez, Alexa ! Cours ! cria Yipes.

Et c'est ce que je fis. Je courus, mon épée à la main, jusqu'au quai et vers la Tour obscure.

En arrivant sur l'étroite route, j'aperçus des ogres et des Castaliens éparpillés un peu partout. C'était une mer de corps, grands et petits. D'après ce que je pus constater, les Castaliens avaient triomphé. Évitant les corps tout en courant sur le petit chemin, j'entendis les chiens aboyer et gronder. C'était un son d'une telle férocité que mon sang se figea dans mes veines.

Je tournai le dernier coin et vis que la grille qui bloquait le chemin menant à la Tour obscure avait été forcée. Tous les Castaliens, les chiens et les gardes étaient entrés et assiégeaient les ogres à la base de la tour. Subitement, je fus frappée par le mal qui émanait de cette tour; la flèche sombre contre le ciel noir, l'unique flamme à une fenêtre tout en haut, la silhouette d'un homme observant la guerre qui faisait rage à ses pieds.

Cet endroit me terrifiait. J'avais du mal à respirer et je commençai à chanceler. Soudain, une chose des plus étranges se produisit : j'entendis une voix, une voix qui ne ressemblait à aucune autre, comme du vent entrant par une oreille et sortant par l'autre.

C'est toi qui dois y aller, toi que j'ai choisie. Il n'y a personne d'autre.

J'entendis les mots très clairement. Ils avaient été prononcés d'un ton ferme et n'exprimaient pas une demande, mais un ordre. Je me mis à marcher, lentement d'abord, et bientôt, je courais vers le long escalier de marches en pierre menant à la grande porte en bois de la Tour obscure. Pendant que les combats se poursuivaient en bas, je continuai ma course, sautant d'une marche à l'autre. Je ne me retournai pas, je courus et courus jusqu'au moment où j'atteignis la dernière marche et levai les yeux pour apercevoir une porte imposante, assez grande pour qu'un ogre puisse la franchir debout. Il y avait une rangée de barreaux de fer devant, ainsi qu'un méchant ogre qui tenait un maillet à pointes dans son énorme main gauche.

— Laisse-moi passer, Alexa!

C'était la voix tonitruante d'Armon, qui était monté derrière moi sans se faire remarquer. Il était debout dans les marches, arrachant une pierre géante qui dépassait de la Tour obscure et formait une partie de l'entrée. La pierre était si grosse qu'Armon pouvait à peine en faire le tour avec ses longs bras. Il la lança de toutes ses forces sur l'ogre, projetant celui-ci contre les barreaux. Au prix d'un immense effort, Armon souleva l'ogre abasourdi et l'éleva au-dessus de sa tête, puis avec un grand cri, il le projeta en bas de l'escalier.

Je grimpai sur la balustrade en pierre et regardai en contrebas; je vis que le sol se trouvait à quelque 15 mètres plus bas. Les torches éclairaient suffisamment la nuit pour que je constate que Balmoral, les chiens et les Castaliens étaient en train de vaincre le reste des ogres. Bientôt, ils contrôleraient la tour. Je descendis de mon perchoir et me plaçai devant la porte; les barreaux étaient tordus, mais ils tenaient toujours.

— Écarte-toi, Alexa, dit Armon, qui souleva et lança l'énorme pierre de nouveau.

Cette fois, la porte elle-même se brisa au milieu.

L'entrée de la Tour obscure s'offrait à nos yeux. Il faisait noir à l'intérieur, et tout ce que nous pouvions voir était la flamme vacillante des torches contre la pierre.

CHAPITRE 22

VICTOR GRINDALL

J'avançai prudemment tandis qu'Armon arrachait les barreaux qui restaient, ainsi que la porte, avant de me suivre. À l'intérieur, l'air était humide et sentait le moisi; les faibles flammes de quelques torches étaient la seule source de lumière. Tout n'était que pierre sombre et ombres sinistres. Je pouvais encore entendre les chiens aboyer en bas et une douce brise s'infiltrait par l'ouverture derrière nous. Pourtant, je pus capter parfaitement la voix qui me murmurait :

L'essaim noir est tout près. Envoie Armon aux falaises, au bord de la mer.

La pensée de voir Armon se transformer en ogre monstrueux m'effrayait encore plus que de rester seule dans la Tour obscure. Je levai les yeux vers Armon et lui fis signe de se pencher vers moi.

— Qu'est-ce qu'il y a, Alexa? demanda-t-il en lisant l'inquiétude sur mon visage.

— L'essaim noir est tout près, Armon, dis-je. Tu dois te rendre aux falaises et nous attendre là-bas.

Il me regarda fixement pendant un moment, puis posa ses mains de géant sur mes épaules.

— On dit que la dernière pierre permet d'entendre les paroles d'Élyon lui-même et que la personne qui la possède entend sa voix, dit le géant d'un ton solennel. As-tu entendu cette voix?

Je baissai les yeux et saisis la pochette de cuir qui contenait ma jocaste.

— Je crois que oui, soufflai-je. Tu dois partir maintenant avant que l'essaim te trouve. Cours, Armon!

Le géant se redressa promptement, se tourna vers la porte et s'éloigna d'un pas lourd. Alors qu'il disparaissait dans l'obscurité, j'entendis des voix. Lointaines, d'abord, puis de plus en plus près. Je dégainai mon épée… mais la baissai avec soulagement en apercevant deux têtes menues qui me regardaient d'un air interrogateur dans l'embrasure. L'un des personnages était poilu et agité, l'autre, moustachu. C'était Murphy et Yipes; ils entrèrent en bondissant. Armon passa, à son tour, la tête dans l'embrasure.

— À vous trois de jouer maintenant. Vous devez sauver Catherine et anéantir Grindall une fois pour toutes, dit-il.

— Va vers les falaises! Dépêche-toi! criai-je.

Armon hocha la tête, pivota et disparut de nouveau dans la nuit, nous laissant, Yipes, Murphy et moi, seuls dans la pénombre de la tour.

— Nous voilà dans un beau pétrin, se plaignit Yipes. Je suppose qu'il ne nous reste plus qu'à monter aussi haut que l'escalier nous mènera… ou descendre au cachot.

Murphy avait déjà un peu d'avance sur nous, reniflant le plancher en pierre et sautillant d'un côté et de l'autre. Il y avait deux immenses escaliers, l'un conduisant en bas, et l'autre, en haut. Le palier était circulaire et vide, sauf pour les deux torches accrochées aux murs. Je songeai immédiatement à descendre jusqu'au cachot pour secourir

Catherine et nous enfuir. Mais je me rappelai la silhouette solitaire à la fenêtre au sommet de la flèche, regardant son royaume s'écrouler autour de lui. Si nous voulions anéantir Grindall, il fallait d'abord le trouver.

— Nous montons, annonçai-je. Il est en haut, seulement à quelques étages au-dessus. Le cachot peut attendre.

Les marches en pierre de l'extérieur nous avaient menés exactement à mi-hauteur de la tour : il y avait 15 mètres au-dessus et 15 mètres en dessous. Quelque chose me disait que Grindall nous attendait au sommet de la flèche.

Avant que j'aie pu ajouter autre chose, Murphy était déjà sur la sixième marche et se hâtait vers le prochain étage, longeant le mur où s'étiraient les ombres. Yipes et moi le suivîmes en silence; les bruits d'en bas faiblissaient à mesure que nous montions. Après ce qui nous parut une éternité, nous atteignîmes un palier et une autre porte. Je trouvai étrange que la porte soit entrouverte, mais Murphy ne s'en soucia pas et la franchit en gambadant.

Je poussai doucement la porte, qui s'ouvrit lentement en grinçant. Lorsqu'il y eut juste assez d'espace pour que je passe ma tête dans l'embrasure, je sentis les ogres et leur infâme odeur de chair putréfiée. La puanteur venait de derrière nous et, quand je virevoltai pour regarder, la porte s'ouvrit toute grande et nous fûmes poussés à l'intérieur. Yipes et moi tombâmes sur le plancher, stupéfaits. La porte claqua derrière nous; deux des plus gros ogres que j'aie jamais vus étaient debout devant et ils placèrent une énorme poutre en bois en travers de la porte pour barrer le passage à quiconque essaierait d'entrer.

— Nous sommes dans de bien beaux draps, marmonna Yipes.

Mais alors, nous scrutâmes la pièce faiblement éclairée et aperçûmes huit autres ogres, plus grands que tous ceux que nous avions vus auparavant. Quatre des créatures étaient debout contre un mur, quatre autres contre un autre mur. Entre eux se trouvait une unique chaise en pierre sur laquelle était assis un homme vêtu d'une cape flottante pourpre, la tête baissée, ses longs cheveux noirs tombant en cascade sur son visage pour cacher ses traits.

— C'est peu dire, répliquai-je.

L'homme leva les yeux, la tête inclinée vers la gauche; il avait l'air dément. Sa peau était affreusement pâle, comme s'il n'avait pas vu le soleil depuis de nombreuses années. Il avait le front bas et ses yeux sortaient misérablement de leurs orbites, pleins de rage et d'hypocrisie, rivés sur la pochette en cuir qui contenait ma jocaste. À mon grand étonnement, il montra ses dents toutes croches quand il vit que je l'examinais, comme s'il se prenait pour un loup ou un serpent. Sa lèvre inférieure épaisse pendait, et un filet de bave coulait aux deux coins de sa bouche. Je réalisai alors que Grindall, car il s'agissait forcément de lui, n'avait pas toute sa tête. Il retroussa sa lèvre supérieure en un sourire sinistre et se leva brusquement de sa chaise. C'est à ce moment-là que les ogres commencèrent à parler dans leur propre langage, emplissant la pièce de sons relâchés et gutturaux qui constituaient leurs grognements et leurs mugissements. Grindall s'adressa à eux en utilisant leur langage et je fus étonnée d'entendre les sons dégoûtants qu'il émettait tout en leur donnant des ordres d'un ton sévère. Les ogres s'immobilisèrent et, même si leur respiration bruyante persistait, ils étaient silencieux, pour la plupart.

— Tu m'as causé de graves ennuis, Alexa Daley, commença Grindall d'une voix suave et profonde, presque envoûtante par sa lenteur. Par ailleurs, tu m'apportes quelque chose aujourd'hui que je cherche depuis très, très longtemps. Comme c'est commode que la dernière jocaste pende au cou d'une pitoyable petite fille, une enfant! Ça m'amuse de voir que c'est tout ce qu'Élyon a pu trouver à faire.

— Es-tu Victor Grindall? demandai-je.

Il me regarda avec une telle malveillance que je dus détourner les yeux.

— C'est moi, en effet. Victor Grindall X pour être plus précis.

Sa voix était posée et mielleuse.

— Et voici mes serviteurs, les plus puissants des géants. Ils ont fait le serment de m'obéir et de donner leur vie à ma convenance. Ils sentent mauvais, mais, comme tu peux l'imaginer, ils sont fort utiles dans des situations comme celle d'aujourd'hui.

Un bruit extraordinaire me parvint alors : Balmoral et ses hommes se tenaient de l'autre côté de la porte et frappaient dessus à grands coups.

Ma confiance était ranimée.

— Vous êtes pris au piège, dis-je, vous et les quelques ogres qui restent. Une très grande armée est sur le point de faire irruption dans cette pièce.

— Oh, vraiment? répliqua-t-il. Ça tombe à point pour moi puisque j'ai l'intention de faire s'écrouler la tour par-dessus eux. Mes serviteurs sauront garder cette porte fermée jusqu'à ce que toi et moi ayons terminé notre discussion.

Il prit de nouveau cette horrible voix gutturale pour ordonner à deux ogres d'aller rejoindre les autres devant la porte. Ils étaient quatre maintenant et, même si la porte sautait hors de ses gonds lorsque les hommes la frappaient, il semblait peu probable qu'ils parviennent à l'enfoncer assez tôt pour nous sauver.

Grindall s'avança à la fenêtre et regarda dehors, puis il reporta son attention sur nous et s'adossa contre le rebord. Derrière lui, j'entendais un son terrible porté par le vent : celui des battements d'ailes et des cris aigus d'un millier de créatures menaçantes. C'était l'essaim noir, à la recherche d'Armon.

— Tu réalises, j'espère, que celui qui a créé tout ça a disparu depuis longtemps, déclara Grindall d'un ton railleur. Il ne reviendra plus jamais. Il s'intéresse à d'autres créations maintenant. La race humaine a été une telle déception pour lui. Je dois dire que je peux certainement comprendre sa position à ce sujet.

Soudain, les chauves-souris arrivèrent à la fenêtre et tourbillonnèrent dans la nuit derrière Grindall, poussant des hurlements presque insupportables. Grindall virevolta et leur dit :

— Le géant que vous cherchez est tout près, quelque part

en bas. Trouvez-le! Faites-le prisonnier et amenez-le-moi!

Lorsqu'il se tourna de nouveau vers nous, son visage affichait une nouvelle expression, une sorte de rage de laquelle il se délectait.

— Le seul qui commande ici, c'est moi, par l'entremise des forces que je contrôle, lança-t-il. Toute cette violence à l'extérieur est inutile. Il y a déjà longtemps que je me suis lassé de ces misérables Castaliens. Ils sont sales, paresseux et pratiquement inutiles pour moi.

Encore une fois, il regarda fixement la pochette autour de mon cou.

— Tout ce qui compte, c'est la pierre.

— Si la tour s'effondre, tu tombes avec elle.

La voix de Yipes me fit sursauter. Il démontrait encore plus de courage que je ne l'aurais cru possible à un moment aussi crucial. Les chiens sauvages aboyaient dehors et les hommes martelaient la porte. L'odeur des ogres était étonnamment prononcée dans la petite pièce et Grindall riait. Son rire était terrible, sinistre et dément, à moitié humain et à moitié… autre chose.

— Je crois que tu es le petit homme le plus stupide que j'aie jamais vu, cracha-t-il avec mépris.

Son rire s'éteignit et il reprit un ton sérieux. Il marcha jusqu'à l'endroit où se tenait Yipes et le frappa fort au visage, du revers de la main. Yipes tomba par terre, inerte; du sang coulait sur sa tempe. Grindall resta planté devant lui, le ridiculisant de plus belle.

— Oh, je dois dire que tu es vraiment impressionnant! Peut-être que je devrais te ramasser et te jeter par la fenêtre.

Ce serait un plaisir pour moi de te regarder fendre l'air et te briser en morceaux. Mais peut-être que mes géants aimeraient te manger pour dîner. Qu'en penses-tu, Alexa? Devrions-nous le donner aux géants?

Les ogres grognèrent et s'approchèrent, répandant leur odeur de pourriture dans la pièce. Grindall était beaucoup plus fort que je ne l'avais cru et il saisit Yipes par sa veste et le lança à l'autre bout de la pièce. L'un des ogres attrapa le petit homme et le regarda avec avidité.

— Sors la jocaste et donne-la-moi, Alexa, ordonna Grindall. Donne-la-moi tout de suite ou nous achèverons ton ami.

Il était complètement fou, fixant la pochette comme si c'était la seule chose au monde qui l'intéressât, un bras tendu derrière lui, prêt à faire signe à l'ogre d'envoyer Yipes se fracasser contre le mur de pierre.

Sors la jocaste et présente-la à Grindall.

Je n'en croyais pas mes oreilles. C'était la voix qui murmurait dans le vent. Élyon avait-il abandonné? Avais-je échoué?

— Est-ce que j'ai fait une erreur en venant ici? Est-ce que j'ai mal agi? demandai-je.

— À qui parles-tu? Donne-moi la jocaste! hurla Grindall, qui avait laissé tomber son humour cinglant.

Seul subsistait son désir de mettre la main sur la pierre dans mon cou.

— Donne-la-moi! cria-t-il encore une fois.

Un instant de plus et il allait la prendre de force.

Je regardai Yipes, si petit et fragile. Puis je promenai mon regard autour de moi : de la pierre partout; des ogres partout; une grande fenêtre ouverte donnant sur le lac; une torche à la flamme tremblotante. Après tout ce que nous avions traversé, si Grindall mettait ses menaces à exécution, la tour tomberait et tuerait tout le monde, y compris Catherine. Élyon serait défait, une fois pour toutes, et le règne maléfique d'Abaddon s'étendrait dans toute notre contrée, la dévorant jusqu'à ce qu'il n'y reste plus rien de bon.

Je pris la pochette en cuir dans ma main, l'ouvris, en retirai la jocaste rutilante et la montrai à tout le monde. Je la tenais haut dans les airs, sa lueur orangée baignant la pièce et valsant sur les murs.

Victor Grindall la dévorait du regard. Laissant échapper un petit rire nerveux, il tendit la main pour s'en emparer. C'est à cet instant que je réalisai que Balmoral avait raison : Élyon voyait tout, même les choses qu'Abaddon ne pouvait pas voir, aveuglé par son immense désir de posséder la pierre. Au moment précis où Grindall allait toucher la jocaste, Squire poussa le cri le plus strident que je l'eus jamais entendue pousser et vola dans la pièce, battant de ses ailes majestueuses, son regard sérieux fixé uniquement sur la jocaste.

Surpris, Grindall se retourna et regarda la buse. Je vis Murphy se laisser tomber de l'une des poutres qui traversaient le plafond. À l'instant où Grindall reportait son regard sur la jocaste, il sentit les dents de Murphy s'enfoncer profondément dans sa main tendue. Grindall cria et agrippa Murphy, mais celui-ci refusait de lâcher prise. Pendant qu'ils se démenaient, Squire saisit la jocaste entre ses grandes griffes, tourna brusquement devant le mur du fond et se dirigea vers la fenêtre. Comme elle atteignait l'ouverture, un ogre donna un brusque coup d'épée dans sa direction. Des plumes et des étincelles volèrent sur le rebord de la fenêtre, mais c'était trop tard pour Grindall. L'ogre n'avait fait qu'effleurer la queue de Squire, et la dernière jocaste n'était plus dans la pièce.

Murphy lâcha prise et escalada l'un des murs à toute allure avant d'aller se percher sur une poutre près du plafond. Le bruit des chiens qui aboyaient et des hommes qui réclamaient qu'on les laisse entrer s'intensifia. Les quatre ogres éprouvaient maintenant de sérieuses difficultés à garder la porte fermée.

— L'armée s'apprête à entrer, déclarai-je. Est-ce que tu as une dernière chose à dire avant que nous nous emparions de la Tour obscure et que nous détruisions les derniers de tes ogres diaboliques?

Grindall me dévisagea avec dégoût, s'efforçant de cacher ce qui devait être une douleur extrême due à la morsure de Murphy.

— Quelle enfant insupportable! s'écria-t-il.

Sa voix s'éleva graduellement.

— Tu n'as fait qu'envenimer les choses. Élyon ne reviendra pas. Ce que tu as fait n'aura réussi qu'à m'enrager encore plus. J'étais satisfait d'être ici, à Castalia, et de maîtriser Abaddon. Mais regarde ce qui arrive, par ta faute : tu as relâché Abaddon dans le reste du monde. Cette tour ne peut plus contenir sa rage.

Il se tourna vers ses ogres.

— Allez! Laissez la place au véritable roi!

C'était inimaginable, mais 5 des 10 ogres, de ceux qui ne surveillaient pas la porte ni Yipes, s'élancèrent vers la fenêtre et sautèrent dans le vide. La porte allait bientôt céder et les quatre ogres qui la retenait grognaient et hurlaient en tentant de garder l'armée de Balmoral hors de la pièce.

— Tu as libéré Abaddon et il ne s'arrêtera que lorsqu'il dominera tout, promit Grindall. Je vous suggère de quitter cet endroit maintenant. La Tour obscure va bientôt se désagréger. Tu dois rester en vie afin de pouvoir me rendre la dernière pierre.

Grindall grommela quelque chose à l'ogre qui tenait Yipes. La brute glissa Yipes sous son bras, alla à la fenêtre et sauta. Je criai en voyant disparaître mon ami, mais c'était peine perdue. Il était parti.

Grindall se pencha et approcha son ignoble visage à quelques centimètres du mien. Il toucha ma joue de sa main ensanglantée et dit :

— Il existe un endroit dont je n'ai pas eu besoin depuis très longtemps, surtout avec Ganesh qui l'a si bien gardé durant toutes ces années.

— Ganesh travaillait pour toi? demandai-je, étonnée devant l'étendue de son influence.

— Bien sûr qu'il travaillait pour moi, petite idiote. Qu'est-ce que tu crois? Que je ne sais rien de ce qui se passe dans votre minable petit royaume au-delà des Collines interdites?

La façon dont il me répondit m'incita à me demander s'il

avait d'autres personnes sous ses ordres à Bridewell. Mais qui?

Je frissonnai.

— Je te donne trois jours pour me rejoindre à Bridewell, poursuivit Grindall. Tu m'apportes ma pierre et je te redonne ton ami. Crois-moi, Alexa : Élyon ne reviendra pas. Cette quête que tu as entreprise est futile. Tu peux sauver ton ami et occuper un poste influent auprès de moi. Tu n'as qu'à m'apporter la pierre.

Nous nous dévisageâmes durant un long moment, puis Grindall se redressa et dit quelque chose aux quatre derniers ogres. Il s'élança vers la fenêtre à son tour, et plongea dans la nuit. Dès qu'il fut parti, les derniers ogres le suivirent, laissant la porte derrière eux se fendre en éclats.

Je me rendis à la fenêtre et les regardai plonger dans le vide et terminer leur très longue chute dans un bassin géant derrière la Tour obscure. Le bassin était relié au lac par un canal et, tout en bas de la tour, je pouvais voir les lumières des torches bouger, comme si elles étaient sur un bateau. Grindall et les 10 ogres s'étaient enfuis; ils allaient traverser le lac et débarquer dans les Collines interdites, emportant leurs plans diaboliques on ne savait où.

Balmoral était entré dans la pièce. Il s'agenouilla et m'entoura de son bras.

— Tu n'as rien, Alexa? Pourquoi es-tu montée ici sans nous?

— Il a pris Yipes, murmurai-je, incapable de penser à autre chose.

Balmoral et quelques-uns de ses gardes s'avancèrent vers

la fenêtre à l'instant même où Squire revenait, ce qui les fit tous reculer. Squire vola dans la pièce et laissa tomber la jocaste dans ma main, puis elle se posa sur une poutre et poussa un grand cri.

— Elle nous avertit de partir d'ici, dis-je. Grindall connaît un moyen de détruire la tour. Il faut faire sortir tout le monde et trouver le cachot avant que tout s'effondre.

— Qu'est-ce que tu racontes? demanda Balmoral. Il est parti, je peux voir son bateau d'ici. Il avance déjà sur le lac.

Il s'interrompit un instant, et nous sentîmes tous la tour trembler et osciller d'avant en arrière.

— Oh, non! fit Balmoral.

Tout le monde se précipita hors de la pièce et descendit l'escalier aussi vite que possible. Balmoral fut l'un des derniers à sortir, et Scroggs demeura à côté de lui.

— Viens, Alexa! s'écria Balmoral.

Je me tournai vers Murphy et l'appelai pour qu'il grimpe sur mon épaule. Je remis la jocaste dans sa pochette, grimpai sur l'appui de la fenêtre et jetai un coup d'œil à Balmoral.

— Nous sortons par là, dis-je.

Murphy me considéra comme si j'avais perdu l'esprit et Balmoral me cria de descendre de là. J'entendis Squire venir derrière moi et la regardai s'envoler dans le ciel. Murphy et moi la suivîmes par la fenêtre, plongeant dans la nuit. Je fermai les yeux, espérant que l'eau en bas amortirait suffisamment notre chute pour nous garder en vie. Nous tombâmes vers le sol encore et encore, puis tout devint froid et noir, mon corps encaissant durement le choc.

CHAPÎTRE 23

LE CACHOT

J'émergeai brusquement de l'eau, tout engourdie encore après être tombée dans le bassin avec une telle force. Je n'avais pas touché le fond, même si mes oreilles donnaient l'impression qu'elles allaient éclater à cause de la profondeur de l'eau. Le bassin était beaucoup plus grand qu'il n'en avait l'air d'en haut et, de toute évidence, il était très profond. Je vis Murphy qui barbotait de toutes ses forces vers le rivage. Je regardai ensuite le canal menant au lac et constatai que Grindall était déjà loin, les ogres ramant de chaque côté de l'embarcation qui disparaissait peu à peu dans la nuit.

Je gagnai le bord du bassin et me hissai sur le sol. Il se faisait tard et, déjà, la rosée commençait à recouvrir la pente. Ce serait bientôt l'aube. Je me trouvais derrière la tour, qui était protégée par deux grands murs allant de la tour elle-même jusqu'au bord de l'eau. C'était un endroit secret, aménagé en prévision d'un jour comme celui-ci, un jour où Grindall aurait à fuir rapidement sans être arrêté par qui que ce soit.

Il y eut un grondement et une section de pierre se détacha, heurtant le côté de la structure en tombant. Elle était plus grosse qu'un homme et atterrit derrière le mur avec un bruit sourd. Le sol où nous nous tenions en trembla.

— Qu'a bien pu faire Grindall pour que la tour s'effondre? demandai-je.

Murphy frottait sa queue avec ses pattes pour en retirer l'excès d'eau.

— Il a dû utiliser la force des 10 ogres au pied de la tour, répondit Murphy. Peut-être qu'il avait organisé tout ça en prévision d'une nuit comme celle-ci, afin de pouvoir sauter, puis retirer certaines pierres stratégiques. Si on enlève les bonnes pierres à la base, il est tout à fait possible que la structure entière s'écroule. Quoi qu'il en soit, nous n'avons pas beaucoup de temps avant qu'elle s'effondre complètement. Nous ferions mieux d'y aller.

Nous nous levâmes et longeâmes le bord du bassin en direction de la tour, dans laquelle une grande ouverture était pratiquée. Il faisait complètement noir à l'intérieur et le peu d'eau qui couvrait le fond ressemblait à du sirop foncé. Le bateau était probablement gardé là, et c'était aussi notre seul espoir d'accéder au cachot avant que la tour s'écroule.

Des voix et des cris me parvinrent de l'autre côté du mur et je vis la lueur d'une torche contre la tour. Une main immense agrippa le dessus du mur et celui qui devait être le dernier des ogres s'y hissa. Il ne nous vit pas, restant là, debout, à hurler; des flèches étaient plantées dans ses jambes et son bras, et il saignait abondamment. Tout à coup, un miracle se produisit. Armon, que j'avais envoyé aux falaises, bondit sur le dessus du mur et fit face à la créature blessée. Armon était un puissant adversaire et il eut rapidement le dessus sur l'ogre. Ils se battirent à l'épée pendant un bref moment, puis Armon poussa l'ogre de l'autre côté du mur, loin de nous, où les Castaliens l'achevèrent.

— Lancez-moi une torche! cria Armon à ceux qui se

trouvaient en bas.

Quelques secondes plus tard, une torche à la main, il sauta de notre côté du mur et nous rejoignit en trois enjambées, se dressant devant Murphy et moi.

— Comment se fait-il que tu ne sois pas caché près des falaises? demandai-je.

J'étais heureuse de le voir, mais également inquiète.

— Je suis resté là-bas un bout de temps et j'ai vu l'essaim noir se diriger vers moi, mais, avant de m'atteindre, il a changé de direction, expliqua Armon. Je pense qu'il s'est envolé vers le lac, en compagnie de Grindall et des 10 ogres.

Je jetai un coup d'œil vers le lac, et il me sembla, en effet, qu'un nuage noir planait au-dessus du bateau de Grindall, un nuage un peu plus foncé que le reste du ciel.

Armon fit un geste pour désigner quelque chose derrière lui.

— Cet ogre sur le mur, c'était le dernier qui restait ici. Les Castaliens sont enfin libres.

Au même instant, la tour vacilla de nouveau, avec beaucoup plus de force cette fois, et une autre section de pierre tomba du haut de la tour, accompagnée de pierres plus petites qui s'étaient détachées aussi. Du lac me parvint le rire lointain de Victor Grindall, qui allait parcourir librement la contrée et se diriger vers ma patrie.

— Nous devons atteindre le cachot et sauver Catherine, dis-je. Il faut faire vite!

Armon réagit aussitôt, la lueur de sa torche ondulant sur les murs de l'ouverture caverneuse. Il descendit dans l'eau et en eut rapidement plus haut que la poitrine.

— Agrippe-toi à mes épaules! cria-t-il.

Murphy monta s'asseoir sur ma tête tandis que je barbotais dans l'eau. Je passai mes mains autour du cou puissant d'Armon, puis celui-ci se mit à nager dans l'obscurité, tenant la torche d'une main et se servant de l'autre main pour avancer dans la caverne sombre. Bientôt, Armon put marcher, et je descendis de ses épaules et nageai jusqu'à ce que je puisse me tenir debout. Lorsque j'atteignis l'endroit où Armon se tenait, j'aperçus une solide porte en bois, encastrée dans la pierre, à la base de la tour. Elle était abîmée par le temps et à moitié pourrie en raison de l'humidité, mais elle constituait malgré tout un obstacle de taille.

Armon me tendit la torche et promena ses doigts le long du dessus et des côtés de la porte. La tour gronda de nouveau et une pluie de terre tomba sur nous. Je fermai les yeux, certaine que nous avions raté notre coup et que la tour allait s'effondrer sur nous. Elle tint bon, pourtant, pas encore prête à tomber en morceaux.

— Approche la torche ici, en bas, dit Armon.

Je la plaçai près de ses pieds et éclairai la terre boueuse à la base de la porte. Il y avait un espace suffisant pour qu'Armon puisse glisser ses deux mains dessous.

— Recule, m'ordonna-t-il.

Il s'accroupit et attendit que je m'éloigne de la porte. Il n'y avait nulle part d'autre où aller, alors je retournai dans l'eau, y reculant jusqu'à ne laisser émerger que ma tête et un bras. Murphy s'agrippait à mes cheveux et serrait de plus en plus fort à mesure que l'eau montait autour de moi, au point que je dus lui dire d'arrêter.

Armon utilisa toute sa force pour soulever la porte et la tirer. Il poussait des gémissements sourds qui résonnaient dans la caverne. La porte céda et Armon retomba dans l'eau juste devant moi, créant une grande vague qui passa par-dessus ma tête. Armon m'attrapa par le bras et m'entraîna vers la porte; nous étions trempés tous les deux et la torche n'était plus qu'une boule noire de cendres fumantes. Murphy avait perdu prise et barbotait derrière moi.

Dans l'ouverture, il y avait un long couloir en pierre et des torches le long des murs. J'attrapai Murphy, dont la fourrure était détrempée, puis je m'élançai dans le couloir où la lumière dansait. Armon était tout près derrière moi et, tandis que la tour continuait à trembler au-dessus de nous, nous descendîmes l'escalier menant au cachot. D'énormes poutres de bois traversaient le plafond et grinçaient avec chaque secousse de la tour. Il n'y avait plus aucun moment de silence; la tour était en train de tomber et tout serait terminé dans quelques minutes, pour ne pas dire quelques secondes.

Nous tournâmes un coin dans l'escalier et nous retrouvâmes dans une longue pièce, au sol de terre. Il y avait, de chaque côté, cinq portails cintrés en pierre et, entre les portails étaient accrochés des torches. Au bout de la pièce trônait une grosse chaise, et un trousseau de clés était accroché à l'un des pieds. Juste à côté se trouvait un étroit escalier en pierre qui s'élevait dans l'obscurité. Armon prit l'une des torches et traversa la pièce, approchant la lumière de chaque portail et découvrant que chacun était muni d'épais barreaux de fer. Il s'agissait sûrement des cellules du cachot.

— Catherine! criai-je, mais personne ne répondit.

Nous avançâmes un peu plus loin, juste après les deux premières cellules, qui étaient vides. Puis, dans la troisième sur la gauche, nous trouvâmes un corps recroquevillé au fond, dans un coin. Armon me donna la torche et empoigna les épais barreaux. Grognant furieusement, il essaya de toutes ses forces de les écarter, mais la fatigue l'avait affaibli. Il recula, l'air perplexe, comme s'il ne pouvait pas imaginer qu'il y eût des barreaux à son épreuve. Il fronça les sourcils, saisit de nouveau les barreaux et tenta encore une fois de les écarter. Au moment où ces derniers commençaient à courber avec une lenteur désespérante, Murphy parla :

— Foilà quelque fose qui pourrait t'aider.

Il tenait le trousseau de clés entre ses dents. Armon se tourna vers lui et sourit.

— Ton impressionnante débrouillardise compense ta petite taille.

Le géant prit les clés, en inséra une dans la serrure et ouvrit toute grande la grille de fer.

Je me précipitai aussitôt dans la petite cellule humide, répétant sans arrêt le nom de Catherine. Puis je m'agenouillai à côté du corps fragile, ramassé et sale. Armon se pencha et entra lui aussi dans la cellule. Il remplissait, presque à lui seul, l'espace exigu.

Je touchai le corps, secouai son épaule et repoussai les cheveux ébouriffés de son visage. Je sus immédiatement que c'était elle. C'était la femme que j'avais connue sous le nom de Renny Warvold et dont mon aventure m'avait appris qu'elle portait réellement le nom de Catherine. Elle était décharnée et respirait à peine, mais c'était bel et bien elle. Ouvrant alors les yeux, elle me regarda avec une telle joie que je pus à peine me retenir de serrer son corps fragile dans mes bras. Cela me brisait le cœur de la voir dans une telle agonie.

— Alexa? murmura-t-elle.

Armon m'écarta, souleva Catherine et sortit de la cellule. Les murs commençaient à s'effriter et le bruit qui résonnait dans toute la pièce confirmait l'imminence de la catastrophe. Le message d'Armon était clair : il faudrait que les retrouvailles se fassent plus tard. À ma grande surprise, Armon se dirigea vers les cellules qu'il nous restait à vérifier.

— Armon, où vas-tu? criai-je. Il faut sortir d'ici, sinon il sera trop tard.

Et c'est alors qu'une chose miraculeuse se produisit, une chose que je n'aurais pu imaginer que dans mes rêves les plus fous. Pendant que nous nous occupions de Catherine, Murphy avait apporté les clés à une autre cellule, qui était maintenant ouverte. Alors que nous approchions de l'entrée de la dernière cellule à gauche, un homme en sortit lentement, à la lueur des torches. Il arborait une longue barbe blanche, et il était mince, mais paraissait robuste; je le reconnus immédiatement.

— Juste à temps, mon cher Armon. Tu aurais quand même pu accélérer les choses un petit peu étant donné que la tour est sur le point de nous tomber sur la tête.

Armon fit la révérence, avec Catherine dans ses bras.

— Toutes mes excuses, monsieur Warvold.

Comment était-ce possible? Comment Warvold pouvait-il être en vie? Ganesh l'avait empoisonné. Il était mort. J'étais là, je savais qu'il était mort. Ses notes nous avaient permis d'arriver à l'endroit où nous nous trouvions maintenant. Était-ce possible qu'il nous eût attendus ici pendant tout ce temps… vivant?

— C'est impossible, soufflai-je.

— Comment va-t-elle? demanda Warvold sans tenir compte de ma remarque, les yeux rivés sur Catherine.

Il la toucha doucement, probablement pour la première fois depuis des années.

— Elle s'en tirera, répondit Armon.

Puis il hissa Warvold sur son épaule et courut hors de la pièce aussi vite qu'il le put. Je courus derrière lui et entrevis le regard de Warvold dans la lumière changeante, ses cheveux blancs se soulevant et retombant sur son visage tandis qu'il rebondissait sur l'épaule d'Armon. Il me fit un clin d'œil et m'adressa un sourire, qui était toujours aussi beau. Warvold me paraissait même plus jeune que dans mes souvenirs. Et à cet instant, sa voix me toucha comme jamais auparavant. J'avais toujours su qu'il m'aimait et qu'il y avait quelque chose de spécial entre nous deux, mais je ne pris conscience de ce que j'avais accompli qu'après avoir entendu ses paroles :

— Je savais que tu pouvais réussir, Alexa! Tu as fait tourner le vent en notre faveur!

Nous sortîmes du cachot, tandis que les murs s'effondraient. Nous avions échappé à la mort, et Catherine et Thomas Warvold étaient de nouveau avec nous. Émergeant de la tour, nous traversâmes le bassin à la nage et continuâmes notre course le long du mur en direction du lac. Nous venions à peine d'atteindre le rivage, que nous entendîmes le vacarme épouvantable de la tour qui s'écroulait, pour former un immense tas sur le sol. Le bruit était assourdissant, comme des vagues venant se briser sur les rochers dans la tempête. Il parut s'écouler une éternité avant que la tour s'effondre complètement, comme si elle refusait de tomber dans l'oubli. Elle s'inclina d'abord vers notre gauche, puis la base céda, entraînant toute la tour dans sa chute. Lorsque la poussière commença à retomber, nous vîmes que l'escalier qui menait à l'entrée de la tour était toujours là. Seuls ses bords étaient fracassés; en dessous était empilés des décombres. Les hommes et les femmes de Castalia grimpèrent les marches. Dans la pâle lumière du matin, nous les voyions agiter les bras et pousser des cris de joie tout en montant.

Un nouveau jour se levait sur Castalia.

Armon posa Warvold par terre et lui tendit Catherine. Elle était éveillée maintenant, l'air frais et le vacarme de l'effondrement de la Tour obscure l'ayant ramenée à la vie. Avec mon aide, elle réussit à se tenir debout, et Warvold l'enlaça.

Je regardai de l'autre côté du lac et vis le jour qui montait, de même qu'un point à l'horizon : Grindall et ses ogres avaient rejoint les Collines interdites.

LES FALAISES

Nous demeurâmes dans la clairière encore un moment; Warvold m'avait entourée de son bras et Murphy s'agitait sur son épaule. Warvold avait l'air troublé et je devinai que notre période de repos ne durerait pas longtemps.

— Il faut avancer rapidement. J'ai bien peur que notre travail ne fasse que commencer.

Armon souleva Catherine encore une fois et nous reprîmes notre course autour du mur, l'eau du lac m'arrivant aux hanches. Balmoral nous attendait de l'autre côté; Warvold semblait le connaître.

— C'est si bon de te revoir, Balmoral, dit Warvold. On dirait que tu as passé une excellente soirée.

— En effet, monsieur, d'autant plus que Catherine et vous êtes sains et saufs.

— Balmoral, tu veux bien apporter tout de suite aux falaises la corde la plus longue et la plus solide que tu puisses trouver? Nous t'y rejoindrons et partirons de là. Oh, et trouve John aussi. Il va nous accompagner.

Nous considérâmes tous Warvold d'un air sombre, ne sachant trop comment lui annoncer la nouvelle. Le malaise se prolongea, et Catherine finit par prononcer les mots que personne ne voulait dire.

— Il est mort, n'est-ce pas? Il est mort en tentant de nous sauver.

Personne ne trouva quoi que ce soit à dire; nous nous contentâmes de regarder Catherine et Warvold, et fîmes un signe affirmatif. Puis Balmoral s'avança.

— Non, madame. Ce n'est pas tout à fait exact. Il est mort en tentant de sauver beaucoup plus que deux personnes. Il a donné sa vie pour Castalia. Et lorsqu'on voit ce qu'il reste de la tour, on comprend qu'il a réussi.

Balmoral fit une pause et continua :

— Je crains que Grindall n'ait pris M. Yipes également, et nous ne savons pas s'il est mort ou vivant.

— Il est vivant, dis-je. Grindall m'a dit qu'il le garderait en vie si j'apportais la dernière pierre à Bridewell dans trois jours.

Warvold avait toujours été un chef calme et posé, mais ma déclaration parut l'alarmer.

— Il faut agir rapidement, déclara-t-il. Il n'y a pas que notre petit compagnon qui est en danger. Si Grindall a l'intention de s'emparer de Bridewell, les murs qui restent autour de la cité ne suffiront pas à le retenir.

— Il y a autre chose dont je dois vous prévenir, intervins-je.

Warvold haussa un sourcil, attentif.

— Grindall a dit que Ganesh avait travaillé pour lui.

— Ça ne m'étonne pas, répliqua Warvold.

— Oui, mais après cela, après m'avoir raconté à propos de Ganesh, il a laissé entendre que quelqu'un d'autre travaillait pour lui là-bas. Quelqu'un qui habite Bridewell ou les environs.

Warvold plissa le front et parut réfléchir tandis que la

douce brise agitait ses cheveux blancs.

— Cette pensée m'avait traversé l'esprit, dit-il. Mais je ne peux pas imaginer de qui il peut s'agir. Nous devrons être prudents quant au choix des personnes à qui nous ferons confiance dans les jours qui viennent.

Warvold regarda Balmoral comme pour dire : « Alors, qu'est-ce que tu attends? »

Balmoral resta là encore un moment, puis il parut brusquement se souvenir de ce qu'il avait à faire.

— Je vais chercher la corde, dit-il, puis il pivota et s'éloigna.

Après son départ, nous longeâmes rapidement les décombres de la tour et bavardâmes brièvement avec quelques Castaliens.

Pendant que nous marchions, Warvold n'arrêtait pas de me regarder; ses yeux verts et brillants flamboyaient, comme dans le souvenir que j'en avais gardé, toute petite. Il faisait preuve d'une telle autorité, d'une telle grâce. Je n'éprouvais aucune peur, seulement une impatience grandissante à l'idée de ce qui nous attendait dans les prochains jours.

Quelque chose m'intriguait.

— Warvold, pourquoi allons-nous aux falaises? Ne poursuivrons-nous pas Grindall dans les Collines interdites?

— C'est beaucoup trop de travail pour un homme de mon âge, répondit-il, bien qu'il parût en pleine forme à en juger par la façon dont il arrivait à suivre Armon.

C'est alors qu'Odessa, Scroggs et Piggott nous rejoignirent. Odessa s'était attiré le respect des chiens et elle était de loin la plus grosse et la plus forte des trois. Piggott et

Scroggs semblaient l'avoir acceptée comme chef.

— On dirait bien que nous avons connu du succès aujourd'hui, dit-elle.

— Pas autant que nous l'aurions espéré, répliquai-je.

Je leur racontai comment Grindall s'était enfui, ainsi que les circonstances malheureuses de la disparition de Yipes.

Lorsque nous arrivâmes aux falaises, la brume flottait à quelques mètres au-dessous du bord, comme toujours. Nous n'eûmes pas à attendre Balmoral bien longtemps; il arriva avec deux de ses hommes, transportant une longue corde épaisse.

Je me penchai pour regarder en contrebas. Partout où l'océan rencontre la terre, on trouve des falaises de rochers sombres et déchiquetés. Si on se place au bord et qu'on jette un coup d'œil en bas, on aperçoit une brume à quelques mètres au-dessous, une brume si épaisse qu'on ne distingue pas l'eau. À perte de vue, on ne voit que cette brume blanche et cotonneuse, comme si on était suspendu dans les nuages et qu'un pas en avant allait nous propulser dans le vide, où on tomberait pendant des jours. Si ce n'était du bruit violent des vagues heurtant les rochers quelque part tout en bas, on pourrait croire que notre contrée est une île dans le ciel.

— Et voilà. Une corde assez longue pour attacher tout un troupeau de moutons, dit Balmoral, interrompant mes pensées.

— Noue-la à ce rocher et assure-toi que le nœud est aussi solide que possible, ordonna Warvold.

Il montrait du doigt une énorme pierre dépassant du sol à

environ six mètres du bord de la falaise.

Balmoral et ses gardes, s'exécutèrent avec l'aide d'Armon. Quelques minutes plus tard, ils revinrent vers nous, à un peu plus d'un mètre du bord de la falaise et de la brume.

— Maintenant, lance la corde en bas, ajouta Warvold.

Balmoral le considéra comme s'il était devenu fou, ne sachant trop que faire.

— Lance-la! insista Warvold. Nous n'avons pas de temps à perdre.

Balmoral jeta la corde dans le vide. Elle était très longue, mesurant une trentaine de mètres, et elle tomba tout en bas dans la brume, là où aucun d'entre nous n'était jamais allé.

— Mais qu'est-ce que vous attendez tous? Descendez! Roland nous attend! dit Warvold. Armon, tu y vas le premier avec Odessa sous ton bras et Catherine sur ton dos. Il faut que tu sois à l'abri avant que les chauves-souris reviennent.

La plus longue et la plus capricieuse des rivières de la contrée d'Élyon était la rivière Roland, ainsi nommée en l'honneur de la seule personne qui eût jamais tenté de la descendre. Roland avait passé 20 ans à construire un bateau qu'il avait baptisé le *Phare de Warwick* avant de disparaître dans les puissants remous de la rivière, puis dans la mer Solitaire, tout cela bien avant ma naissance. Personne n'en avait entendu parler depuis. Tout le monde présumait qu'il avait échoué dans sa tentative et qu'il était mort depuis longtemps, et que le *Phare de Warwick* s'était fracassé contre les rochers.

— Roland? dis-je. Roland et le *Phare de Warwick*? Est-ce qu'il nous attend vraiment en bas?

— Ça vaudrait mieux pour lui, répondit Warvold. Je lui ai dit de nous attendre. S'il n'est pas là, je serai terriblement déçu.

Puis, en moins de temps qu'il n'en faut pour le dire, il marcha vers la corde, l'agrippa et se laissa glisser avec le sourire, sans ajouter un mot.

Catherine tendit les bras à Armon aussitôt que Warvold fut hors de vue. Le géant la souleva et la plaça sur son épaule massive. Il baissa les yeux vers les chiens et Odessa.

— Odessa, il se peut que ce soit un peu inconfortable. Je m'en excuse.

Allongeant un bras, il saisit la louve sous l'abdomen et la serra contre lui. Il s'avança ensuite vers le bord de la falaise, agrippa la corde de sa main libre, et tous trois disparurent dans la brume, nous laissant là, frappés de stupeur.

— Je ne sais pas trop... dit Balmoral en secouant la tête. Comment être certain que Roland est en bas?

Murphy haussa les épaules, remua la queue à plusieurs reprises et descendit le long de la corde. Du bord de la falaise, Piggott et Scroggs regardaient, d'un air inquiet, les rochers déchiquetés faisant saillie ici et là; ils virent Murphy disparaître à son tour.

Balmoral et moi échangeâmes un regard. Nous nous tenions sur la falaise avec les deux chiens et nous nous demandions quoi faire. Je pouvais voir dans les yeux de Balmoral que je me retrouverais bientôt seule au bord de la falaise. Il jeta un dernier regard vers le lac et le quai, et je ne pus qu'imaginer toute l'émotion qui devait l'étreindre.

— Toutes ces années avec Grindall régnant sur Castalia ont été vraiment difficiles, dit-il. Nous devons l'arrêter. Nous sommes les seuls qui savons à quel point les choses sont devenues dangereuses. Personne d'autre ne nous croira.

Il se traînait les pieds d'avant en arrière dans l'herbe.

— Warvold a dit que ça ne prendrait que quelques jours. Je serai probablement de retour dans une semaine.

Il regarda les deux gardes qui attendaient à deux pas de là et leur cria :

— Dites à Mary et à Julia que je suis parti sauver le monde avec Thomas Warvold. Je serai de retour d'ici une semaine.

Les deux hommes partirent en courant vers le quai. Balmoral se retourna et agrippa la corde. Il se laissa glisser le long de la falaise et s'évanouit dans l'étendue blanche cotonneuse, comme les autres avant lui.

Je me tenais là, seule avec Piggott et Scroggs. Tout était étrangement calme lorsque je me tournai vers le lac; le soleil brillait et la chaleur s'installait rapidement.

— Je crois que c'est ce qu'ils appellent faire un acte de foi, dit Piggott.

Il fit signe à Scroggs, et tous deux s'éloignèrent vers la cité des Chiens. Je me demandai ce qui allait leur arriver dans la nouvelle Castalia et ce qu'il adviendrait des autres chiens. Ils s'étaient battus avec courage, mais combien de temps les Castaliens se souviendraient-ils de ce que ces animaux malades avaient fait pour eux? Il semblait plus probable que la cité des Chiens demeurerait leur foyer.

Un acte de foi. Tout à coup, je me sentis terriblement fatiguée. Quand mon travail serait-il terminé? Pouvais-je espérer un jour m'asseoir au coin du feu pour bavarder avec Catherine, Yipes et Warvold? La contrée d'Élyon était un endroit bien plus grand et effrayant que je ne l'aurais cru.

La mer Solitaire est le seul chemin vers la Dixième Cité.

La voix portée par le vent était la seule garantie dont j'avais besoin. Je touchai ma jocaste, en lieu sûr dans sa pochette en cuir, et contemplai une dernière fois les ruines de la Tour obscure. Les gens célébraient, libérés de Grindall et des ogres. Il était temps de partir.

Je me penchai, saisis la corde et me laissai descendre lentement dans la brume blanche.

CHAPITRE 25

LA POURSUITE COMMENCE

La paroi de la falaise était mouillée et glissante, et je perdais pied constamment; mes genoux et mes coudes heurtaient la surface dure. La brume aussi était mouillée, couvrant mes cheveux et mon visage d'une fine couche d'humidité qui me rafraîchissait et donnait à mes lèvres un goût salé. La brume était si dense que je distinguais à peine la corde dans mes mains tandis que je descendais, de plus en plus consciente que jamais je n'aurais la force de remonter.

Des voix me parvenaient d'en bas, étouffées par le bruit doux mais constant de l'eau donnant contre les rochers, et par le son du liquide réabsorbé par la terre. La brume s'effilochait à mesure que ma descente progressait; et puis soudain, elle se dissipa complètement. Je levai les yeux et vis une épaisse couche blanche qui semblait s'étendre à l'infini au-dessus de la mer, tel un plafond de nuages vaporeux flottant à une quinzaine de mètres au-dessus de l'eau. Je regardai ensuite en bas et, à mon grand étonnement, j'aperçus un navire, plutôt grand, qui dansait à la surface de l'eau. Il était incroyablement près de la falaise, si près que je me dis qu'il avait dû s'échouer contre les rochers, et que l'eau s'infiltrait sûrement dans son ventre.

En approchant du pont du navire, je constatai que la falaise se creusait pour devenir une grotte; le bateau y était à moitié enfoui, parfaitement en sécurité sur les eaux de la mer.

Quand il ne resta plus que quelques mètres avant que je touche le pont, Armon m'ordonna de sauter. Comment laisser passer l'occasion de sauter dans les bras d'un géant?

Un homme apparut à l'avant du bateau, un homme que je n'avais jamais vu mais que j'identifiai sans hésitation. C'était Roland. Il avait l'air d'un vrai marin : vêtements en loques, longue barbe et longs cheveux blonds, peau tannée et yeux perçants, de couleur bleu de cobalt. Il portait un étrange chapeau de cuir sur la tête, et les manches de sa chemise n'étaient ni longues ni courtes, mais quelque part entre les deux. Il marchait pieds nus et cela ne devait pas dater d'hier, à en juger par leur état. On pouvait voir les poils blancs frisés du bas de ses jambes remuer au vent tandis qu'il venait vers nous. Il semblait être l'unique membre d'équipage.

— Désolé pour le retard, Thomas, dit-il. J'ai dû vérifier les ancres et m'assurer qu'on ne ferait pas une embardée dans les falaises. Le *Phare de Warwick* est un bon navire, mais il a besoin d'être un peu dorloté pour rester à flot.

— Je comprends parfaitement, répliqua Thomas, qui paraissait refaire le plein d'énergie à mesure que le temps passait. Roland nous a gentiment préparé un repas, ajouta-t-il à notre intention, et personne n'est plus impatient de passer à table que Catherine et moi. Si on mangeait?

Roland déposa le plateau au milieu de nous. Armon fut le

premier à s'en approcher. Il prit du pain et du poisson, et offrit la nourriture à Thomas et à Catherine. J'appris plus tard que Roland était en mer depuis 13 ans, dérivant périodiquement à l'endroit où nous étions. Au cours de la dernière année, il avait attendu devant les falaises qui s'élevaient maintenant au-dessus de nous. Il avait trouvé une source d'eau fraîche dans la grotte et il n'avait jamais manqué de poisson pour se nourrir. Le pain d'aujourd'hui était une surprise, la farine et l'huile provenant des réserves qu'il avait apportées avant de prendre le large. Il y aurait eu beaucoup à dire sur la fabrication du navire, les longues années en mer et les aventures vécues par Roland. Mais il faudrait attendre une autre fois.

Warvold prit la parole et raconta un grand nombre de choses, dont certaines se révélèrent fort intéressantes.

D'abord, il nous apprit une nouvelle qui n'aurait pas dû nous surprendre : Roland et Warvold étaient des frères. L'un était un grand explorateur par voie de terre, et l'autre, par voie de mer. Ces deux-là partageaient plusieurs secrets. Ils étaient parvenus à s'envoyer des messages en choisissant des endroits où Warvold pouvait laisser tomber une corde à laquelle était accrochés un drapeau rouge, quelques provisions et une note racontant ce qui se passait en haut. Roland envoyait aussi des messages à son frère, mais Warvold ne dit pas grand-chose à ce sujet-là, préférant garder le secret.

Le tout dernier message que Roland avait reçu était venu des falaises de Lathbury, ma ville natale. Le message lui demandait d'attendre sous les falaises de Castalia, un an plus tard, à l'extrémité ouest de la contrée d'Élyon, où un autre drapeau rouge flotterait près de la surface de l'eau. C'était Armon qui avait été désigné pour faire descendre le drapeau lorsque Warvold était parti secourir Catherine. Au même moment, Warvold avait confié à Yipes une lettre pour moi, insistant pour qu'il attende un an avant de me la remettre. Car Warvold avait espéré pouvoir vaincre Grindall seul, sans aucune aide. Finalement, il avait été capturé et envoyé au cachot, où nous l'avions trouvé.

Bien entendu, j'étais curieuse de savoir ce qui l'avait poussé à entreprendre cette mission seul, sans aucune aide. Voici ce qu'il me répondit :

— Qu'est-ce que tu racontes? J'ai su bien m'entourer, comme tu peux le voir en regardant autour de toi. Roland, Armon, Murphy, Yipes, Balmoral… et toi, Alexa. J'espérais ne pas avoir besoin d'autre chose que de ma propre ingéniosité, mais Grindall s'est montré plus malin que je ne le croyais. J'étais quand même réaliste quant à mes chances de réussite. Je pensais bien que j'aurais besoin de l'aide de chacun de vous, mais je voulais la demander une fois que je serais absolument certain de ne pas pouvoir faire autrement.

De nouveau, je fus frappée par son intelligence supérieure. Lui seul pouvait planifier ainsi l'intervention de chacun d'entre nous, nous gardant à l'abri du danger jusqu'au moment où il saurait qu'il avait échoué dans sa tentative de secourir Renny.

Warvold nous raconta ensuite comme il était parvenu à simuler sa propre mort, le soir où il avait marché jusqu'au mur avec moi. Il savait que Ganesh avait l'intention de s'emparer des cités fortifiées, mais Warvold avait des choses plus sérieuses à régler. Catherine était prisonnière et il était déterminé à aller la chercher, à révéler tout ce qu'il savait aux bonnes personnes, au bon moment, et à libérer sa femme et les Castaliens de l'emprise de Grindall.

Il élabora donc un plan compliqué qui commença lorsque Ganesh tenta de l'empoisonner. Ayant deviné les intentions de ce dernier, Warvold prit plutôt une potion qu'il avait lui-même concoctée et qui eut pour effet de ralentir considérablement sa respiration et son rythme cardiaque. Une seule personne était de mèche avec lui : Grayson, le fidèle bibliothécaire et son très cher ami. Au cours des jours qui suivirent la prétendue mort de Warvold, c'est Grayson qui prit soin du corps et le plaça dans un cercueil. Pendant que tout le monde pleurait la mort de Warvold, les deux compères mangeaient des tartines à la confiture de fraises et sirotaient du thé dans les recoins secrets de la bibliothèque. Quand arriva le moment des funérailles, Warvold reprit de la potion et dormit durant toute la cérémonie. Enfin, au moment de préparer le corps pour l'enterrement, Grayson le remplaça par un long sac de terre, et Warvold, lui, prit, la route.

— Il me reste encore une chose à vous dire et ensuite, nous pourrons hisser les voiles, dit Warvold.

Son visage arborait cette expression pleine d'espoir, qui pouvait convaincre les humains comme les bêtes d'accomplir toute tâche qu'il voudrait leur confier.

— Nous avons porté un dur coup à Abaddon aujourd'hui, mais il reste encore beaucoup à faire. Grindall est en liberté et nous sommes les seuls qui pouvons l'arrêter. Il détient l'un de nos amis les plus chers. Il n'y a que nous qui puissions secourir Yipes. Au cours des jours qui viennent, nous allons parcourir la mer sous la brume et élaborer un plan. Nous devons être aussi rusés que des renards, car Grindall et les ogres ne vivent que pour nous détruire. La seule chose qui compte pour Grindall, c'est la pierre et la dévastation qu'il peut accomplir tandis qu'il cherche à s'en emparer.

Warvold s'arrêta un instant et pesa bien ses mots.

— Nicolas, Grayson et Pervis, s'ils ont lu la lettre que tu as laissée pour ton père, Alexa, s'attendront à l'arrivée de Grindall et des ogres. Ton père aussi. Il y a encore bien des choses que tu ne sais pas, et j'ai de bonnes raisons de les garder secrètes. Le destin de la contrée d'Élyon pend à ton cou et ce fardeau doit être porté avec l'aide de tes amis si nous voulons triompher.

Warvold prit une miche de pain et en détacha un morceau, puis conclut en disant une chose à laquelle je m'attendais :

— Avec l'aide de la dernière pierre, nous devons trouver la Dixième Cité.

J'avais le sentiment qu'aucun d'entre nous, pas même Warvold, ne savait pourquoi nous devions nous y rendre. Une tâche restait à accomplir dans cet endroit secret, au-delà du champ des Chimères, mais nous ne pouvions qu'essayer de deviner de quoi il s'agissait.

Quand Warvold eut terminé, Roland leva l'ancre et Armon sauta à l'eau et nagea, nous poussant loin des falaises, dans le vent léger. Puis les voiles furent hissées, et nous nous mîmes en route vers de nouvelles aventures, des aventures auxquelles je n'avais même pas la force de penser avant un nouveau jour. Alors que la brise nous portait sur des eaux bleues que je n'avais pu qu'imaginer par le passé, je me blottis sur le pont avec une vieille couverture sous la tête. L'air était plus frais sous la brume, encore chaud tout de même, mais agréable. Murphy se coucha en boule à côté de moi et je le caressai doucement.

Je murmurai quelques mots dans le vent.

— N'abandonne pas, Yipes. Nous venons te chercher.

Je m'endormis, bercée par les vagues, voguant vers chez moi, appréciant la compagnie tranquille de la mer Solitaire.

Ce serait le dernier moment de tranquillité que je connaîtrais avant un certain temps.

À suivre…

BIENTÔT...

La contrée d'Élyon, tome 3
La Dixième Cité

Alexa Daley est perdue en mer, dérivant dangereusement près des falaises, alors qu'une tempête approche et menace de fracasser le *Phare de Warwick*.

Armon, le dernier des géants, est traqué sans relâche par l'essaim noir, dont le but est de le retourner contre Alexa, afin d'empêcher la jeune fille d'atteindre la Dixième Cité.

Yipes est prisonnier d'une bande d'ogres maléfiques et son sort demeure incertain.

Enfin, la contrée d'Élyon a commencé à s'affaiblir, contaminée par le mal qui traverse les Collines interdites et gagne peu à peu Bridewell.

Tandis qu'elle progresse vers une conclusion palpitante, Alexa doit trouver un moyen de dompter la mer Solitaire, de secourir Yipes des griffes de Victor Grindall et d'élucider le mystère de la Dixième Cité. Mais pourra-t-elle trouver les réponses qu'elle cherche à temps pour sauver la contrée d'Élyon?

UN MOT SUR L'AUTEUR

Patrick Carman soutient qu'il ne possède pas et n'a jamais possédé de jocaste ni tout autre type de pierre lui permettant de communiquer avec d'autres espèces ou de faire de la télépathie. Les personnes qui désirent se procurer une telle pierre auraient tout intérêt à chercher ailleurs.

En revanche, l'auteur aime s'adresser aux jeunes de sa propre espèce, que ce soit à voix haute ou par écrit. Il habite les régions sauvages de l'est de l'État de Washington, et insiste pour dire que sa maison est tout à fait normale et qu'elle n'est pas entourée de murs de pierre.

Patrick Carman ne joue pas d'instrument de musique, mais il lui arrive de torturer ses invités en essayant de jouer de l'harmonica. L'écriture, les conférences, le temps passé avec sa femme et ses deux filles, la lecture, la pêche à la mouche, le parapente et la planche à neige occupent ses journées.